Des éloges pour
Une guirlande de neige

«J'ai adoré. *Une guirlande de neige* est une histoire merveilleuse de rédemption et de réhabilitation, qui réchauffera votre cœur à Noël — ou à tout autre moment de l'année!»

— Francine Rivers, auteure de *Redeeming Love*

«Quand *Une guirlande de neige* est arrivé sur le pas de ma porte, je me suis assise pour en lire quelques pages, mais je l'ai plutôt dévoré. Je recommande chaudement ce livre à tous ceux qui apprécient les émouvantes histoires de pardon et de grâce.»

— Tracie Peterson, auteure de la série Land of the Lone Star

«Une charmante équipée de Noël à travers la belle Écosse de l'ère victorienne — neige comprise! J'ai été séduite par les personnages émouvants qui luttent pour trouver l'amour, la joie et un sentiment d'appartenance, pour finalement découvrir le vrai sens de Noël. Une histoire qui réchauffe le cœur!»

— Melody Carlson, auteure de *Christmas at Harrington's*

«*Une guirlande de neige* séduit de la première à la dernière page, et Gordon et Meg raviront votre cœur. L'histoire pourrait même vous donner envie de voir de la neige. Ne passez pas à côté de ce court roman si charmant. Vous ne pourrez plus vous en séparer!»

— Robin Lee Hatcher, auteure de *Betrayal*

«Un voyage à travers le temps et l'espace où le foyer, la maison et l'honnêteté sont les étrennes que l'on trouve autour de l'arbre de Noël illuminé. Vous serez baigné dans l'éclat de ce récit charmant qui déborde de réconfort et de joie.»

— Robin Jones Gunn, auteure de *Finding Father Christmas*

«Je recherche des histoires à la trame riche, qui m'attirent et m'accueillent dans leur monde. Liz Curtis Higgs nous a encore choyés avec ce récit merveilleusement écrit qui nous habite entièrement. *Une guirlande de neige* irradie la chaleur, le charme et la grâce. Une lecture merveilleuse.»

— B. J. Hoff, auteure de la série *The Riverhaven Years*

18/12/14

Une guirlande de neige

Liz Curtis Higgs

Traduit de l'anglais par
Patrice Nadeau

ADA
éditions

Éditeur : François Doucet
Traduction : Patrice Nadeau
Révision linguistique : Féminin pluriel
Correction d'épreuves : Éliane Boucher, Nancy Coulombe
Montage de la couverture : Mathieu C. Dandurand
Image de la couverture : © Thinkstock
Mise en pages : Sébastien Michaud
ISBN papier 978-2-89733-327-0
ISBN PDF numérique 978-2-89733-328-7
ISBN ePub 978-2-89733-329-4
Première impression : 2013
Dépôt légal : 2013
Bibliothèque et Archives nationales du Québec
Bibliothèque Nationale du Canada

Éditions AdA Inc.
1385, boul. Lionel-Boulet
Varennes, Québec, Canada, J3X 1P7
Téléphone : 450-929-0296
Télécopieur : 450-929-0220
www.ada-inc.com
info@ada-inc.com

Originally published in English under the title :
A Wreath of Snow by Liz Curtis Higgs
Copyright © 2012 by Liz Curtis Higgs
Published by WaterBrook Press
an imprint of The Crown Publishing Group
a division of Random House, Inc.
12265 Oracle Boulevard, Suite 200
Colorado Springs, Colorado 80921 USA

International rights contracted through :
Gospel Literature International
P.O. Box 4060, Ontario, California 91761-1003 USA

This translation published by arrangement with
WaterBrook Press, an imprint of The Crown Publishing Group,
a division of Random House, Inc.

French edition © (2013) Éditions AdA Inc.

Diffusion
Canada :   Éditions AdA Inc.
France :   D.G. Diffusion
                Z.I. des Bogues
                31750 Escalquens — France
                Téléphone : 05.61.00.09.99
Suisse :   Transat — 23.42.77.40
Belgique :   D.G. Diffusion — 05.61.00.09.99

Imprimé au Canada

Participation de la SODEC.

Nous reconnaissons l'aide financière du gouvernement du Canada par l'entremise du Fonds du livre du Canada (FLC) pour nos activités d'édition.

Gouvernement du Québec — Programme de crédit d'impôt pour l'édition de livres — Gestion SODEC.

Catalogage avant publication de Bibliothèque et Archives nationales du Québec et Bibliothèque et Archives Canada

Higgs, Liz Curtis

 [Wreath of snow. Français]
 Une guirlande de neige
 Traduction de : A wreath of snow.
 ISBN 978-2-89733-327-0
 I. Nadeau, Patrice, 1959 février 2-   . II. Titre. III. Titre : Wreath of snow. Français.

PS3558.I362W7314 2013   813'.54   C2013-941776-1

À notre fille, Lilly,
une artiste brillante, une auteure douée,
une agréable compagne de voyage
et un soutien moral exceptionnel.

Noël...
Le temps de raviver la flamme
Non seulement dans l'âtre hospitalier,
Mais surtout dans le réconfort
Des cœurs charitables

Washington Irving

Chapitre 1

Noël est arrivé ;
Les vents violents soufflent,
Froids et glacials.

— William Makepeace Thackeray

Stirling, Écosse
Le 24 décembre 1894

De toutes ses vingt-six années d'existence, Meg Campbell n'avait jamais eu aussi froid. Grelottant dans son manteau de laine vert, elle passa devant les boutiques bondées de la place Murray sous la neige qui tombait à gros flocons.

Elle ne pouvait que deviner l'heure à laquelle partirait le prochain train pour Édimbourg. Pourquoi n'avait-elle pas consulté l'horaire de chemin de fer de son père affiché près de la porte de la cuisine ? Parce qu'elle était partie de la place Albert en larmes. Parce qu'elle s'en était allée sans même dire au revoir.

Meg baissa le menton afin d'éviter qu'une rafale ne s'engouffre sous le bord de son chapeau pour l'emporter au loin. Une minute encore, et elle atteindrait le coin. Deux autres minutes, et...

— Faites attention où vous allez, jeune femme!

Surprise, elle faillit perdre l'équilibre sur le trottoir glacé.

— Je vous demande pardon, monsieur Fenwick.

Son ancien instituteur, maintenant ployé par l'âge, se contenta de grommeler en guise de réponse.

— Je m'appelle Margaret Campbell, lui rappela-t-elle, consciente du nombre d'élèves qui avaient franchi le seuil de sa salle de classe. Savez-vous que je suis institutrice aujourd'hui? À Édimbourg?

— Oui, oui, grommela-t-il.

Il la regarda fixement un moment, puis s'éloigna sans un mot de plus, le bout de sa canne traçant une ligne brisée dans la neige.

Meg se détourna, un peu vexée par la rebuffade du vieil homme. Peut-être monsieur Fenwick croyait-il que les femmes non mariées devaient rester à la maison avec leur famille. Si c'était le cas, il n'était pas le seul à le penser. Mais il ne savait pas ce qu'était la vie sous le toit de ses parents. *J'ai essayé de rester, maman. Vraiment, j'ai tout fait.*

Agrippant sa sacoche de cuir, Meg se dirigea vers le chemin de la Gare, jetant au passage quelques coups d'œil aux vitrines des boutiques exhibant leurs pyramides d'oranges fraîches et leurs cloches en papier brillamment colorées. Ses deux douzaines d'élèves devaient être à la maison maintenant, célébrant Noël avec leurs proches. Il suffisait à Meg d'imaginer le regard brillant d'Eliza Grant, tenant son ardoise couverte d'additions, ou de Jamie McFarlane, hurlant son alphabet avec bonheur, pour sentir son courage renaître. Elle vivait là où elle le devait, et l'enseignement était sa vocation, peu importe ce que tous les messieurs Fenwick de ce monde pouvaient dire.

La neige qui tombait sans arrêt étouffait le claquement des fers à cheval dans la grand-rue et gommait la moindre parcelle de couleur dans le ciel. Était-il quatorze heures ? Quinze heures ? Elle était si bouleversée en quittant la maison de ses parents qu'elle n'avait pas consulté la montre épinglée à son corsage ni fait venir de voiture. Maintenant, elle devrait envoyer quelqu'un prendre sa malle et espérer qu'elle pût être livrée à la gare à temps pour son départ.

Elle tourna le coin et fut soulagée de voir un contingent de passagers qui sortaient dans la rue. Il semblait bien que les trains circulaient en dépit du mauvais temps. Ralentissant le pas pour s'engager dans la pente descendante, Meg tendit une main devant elle, prête à saisir un poteau d'attache pour les chevaux — ou le coude d'un étranger si nécessaire.

Quelques piétons seulement allaient dans la même direction qu'elle. La plupart rentraient plutôt en ville. Des gentilshommes de la capitale revenant à la maison, des cousins se retrouvant pour fêter Noël, de jeunes étudiants traînant des patins plutôt que des livres — tous remontant le chemin de la Gare enneigé, le visage rayonnant.

Un sentiment de culpabilité aussi piquant que le vent hivernal accabla Meg. Ses parents avaient l'air bien triste quand elle avait quitté la place Albert. Son frère, Alan, était la raison de son départ, pourtant Meg avait également ment blessé son père et sa mère.

— Pardonnez-moi, murmura-t-elle, souhaitant avoir dit ces mots au bon moment.

Pendant deux longues années, elle avait évité de leur rendre visite à la maison, espérant que le temps délogerait l'amertume qui avait pris racine dans le cœur de son frère. Mais quand elle était arrivée à Stirling, la veille au soir, elle avait découvert la triste vérité. Alan Campbell, son cadet de quatre ans, était non seulement plus revêche et difficile qu'elle en gardait le souvenir, mais qui plus est cupide, un nouveau et détestable penchant.

Les dernières paroles de son frère au moment de son départ la suivraient jusqu'à Édimbourg — jusqu'à la rue Thistle, la maison de sa tante Jean, *sa* maison. «Quelle créature égoïste tu es, Meg!» Elle tressaillait encore en se rappelant le regard cruel dans les yeux de son frère et la dureté de sa voix. «Tu aurais dû vendre la maison que tante Jean t'a léguée et partager le gain avec ta famille.»

Tu veux dire avec toi, Alan.

Meg releva le bord de son manteau. Elle marcha avec précaution dans la neige fondue et dans la boue que les voitures tirées par les chevaux laissaient derrière elles. Elle pouvait difficilement nier que les besoins d'Alan étaient plus grands que les siens. Mais quand elle avait déménagé à Édimbourg pour s'occuper de leur vieille tante aujourd'hui décédée, enveloppant ses membres perclus de rhumatismes dans des compresses ou lui apportant ses bols de soupe chaude, Meg ne s'était jamais imaginé que sa tante ferait présent de sa maison de ville à son unique nièce.

«Père aurait dû être son héritier», avait insisté Alan. Le testament de tante Jean, écrit d'une main soignée, disait autre chose.

Pendant le repas du midi, la conversation de Meg avec son frère s'était détériorée en échange d'accusations à peine voilées de sa part, de dénégations en pleurs de la sienne, jusqu'à ce qu'elle ne puisse plus en tolérer davantage. Être traitée aussi cruellement la veille de Noël ! Ses parents avaient essayé d'intervenir, mais le caractère d'Alan n'était pas facile à amadouer. Leur patience avec lui était un témoignage de leur charité chrétienne. Et de leur amour également, même si Meg se demandait si la culpabilité ne jouait pas un rôle au moins aussi important.

Meg se déplaçait à travers la foule en gardant la tête basse, afin d'éviter que quelqu'un ne la reconnût et n'entamât la conversation. Même si cela la peinait, elle n'avait aucun bon vœu à offrir et ne ressentait rien de l'esprit de Noël. Le lendemain, son humeur se serait sûrement améliorée. Pour l'instant, elle voulait seulement panser ses plaies dans la solitude.

Elle franchit le seuil de la gare et frotta la neige accumulée sur son manteau, heureuse d'être à l'abri du vent. À l'intérieur du bureau des réservations tout près, un poêle en fonte irradiait sa chaleur, embuant les fenêtres. Mais dans la salle d'attente et sur le grand quai en plein air, l'hiver avait la main haute. Des couronnes de Noël, avec leurs baies cramoisies brillant sur des feuilles vert foncé, décoraient les piliers de fer peints qui supportaient le toit. Tous les badauds avaient les bras chargés de paquets, comme si saint Nicolas avait déjà fait sa tournée.

Meg jeta un coup d'œil à l'horloge placée sous le plafond voûté, puis consulta les heures de départ annoncées
de la Caledonian Railway. Le train du sud, qui s'arrêtait à
Larbert, à Falkirk et à Linlithgow, en route vers
Édimbourg, partait à quinze heures vingt-six. Il ne lui
restait qu'un peu plus d'une heure pour faire prendre ses
bagages.

Quand un porteur entre deux âges passa d'un pas
calme transportant une malle bien plus volumineuse que
la sienne, Meg s'élança à sa poursuite.

— Monsieur, puis-je requérir vos services ?

Alors qu'il se tournait vers elle, le visage illuminé par
la promesse d'une nouvelle course, elle s'interrompit, soudain moins sûre d'elle. Comment sa famille réagirait-elle
à l'arrivée d'un porteur venant réclamer ses affaires en
son nom ? Sa mère fondrait sûrement en larmes. Et son
frère ? Il serait sans doute trop heureux de voir le contenu
de sa malle répandu dans la rue.

Déterminée à ne pas se laisser abattre, Meg fouilla
dans sa sacoche pour trouver son porte-monnaie de cuir.

— J'ai une unique malle à faire prendre à la place
Albert pour le prochain train pour Édimbourg, dit-elle au
porteur.

Elle l'informa de l'adresse et lui offrit assez d'argent
pour s'assurer de sa coopération.

— Je connais la maison, mam'zelle, dit-il en faisant
disparaître les pièces dans sa poche. Dès que j'aurai livré
cette malle-ci, je m'occupe de la vôtre.

Elle le laissa partir en levant les yeux vers l'horloge,
espérant qu'il comprendrait le message. *Dépêchez-vous,
dépêchez-vous.*

La queue devant le guichet était heureusement courte. Avant qu'elle ait pu rejoindre la poignée de voyageurs qui attendaient pour acheter leurs billets, un petit chien apparut à ses pieds et se mit à mordiller l'ourlet de son manteau.

— Quel mignon petit chiot! murmura-t-elle, se penchant pour caresser le jeune terrier.

Même à travers ses gants, elle pouvait sentir son pelage rugueux et ses petits mordillements, alors qu'il agitait joyeusement la tête de droite à gauche.

Au-dessus de la cohue flotta une voix claire et aiguë.

— N'est-ce pas mademoiselle Campbell qui rentre enfin?

Edith Darroch. De toutes les commères de Stirling, elle remportait le premier prix.

Meg se redressa lentement pour affronter la femme qui se plaisait à distribuer les nouvelles savoureuses et les rumeurs infondées comme une hôtesse offrant des scones et du jambon à ses invités. La chevelure d'Edith avait acquis la pâleur grisâtre de la suie, mais ses yeux rayonnaient de curiosité.

— Madame Darroch, demanda Meg, allez-vous rejoindre votre fils à Alloa afin de passer Noël avec lui?

— Bien sûr que non, dit la dame plus âgée tout en imprimant à la laisse du terrier une brève secousse. Johnny rentre à la maison pour les vacances, comme devraient faire tous les enfants aimants. Je l'attends par le prochain train.

Puis, après avoir jeté un rapide regard circulaire dans la gare, elle demanda d'un ton inquisiteur.

— Votre famille n'est pas ici pour vous accueillir?

La question brisa le cœur de Meg. Ses parents étaient
venus à sa rencontre le soir précédent. Mais dans le
froid hivernal de cet après-midi-là, elle était tout à fait
seule.

— Je suppose que votre frère ne peut affronter un
temps pareil, continua madame Darroch d'une voix suin-
tante de sympathie. Ce serait dommage s'il se blessait
davantage.

— Il ne s'est pas blessé lui-même, dit Meg fermement,
se portant à sa défense.

Peu importe la difficulté de leurs rapports, Alan était
le seul frère qu'elle avait.

— Gordon Shaw l'a atteint avec une pierre de
curling.

Meg n'était-elle pas au bord de l'étang de King's Park,
cet après-midi-là de janvier, une douzaine d'années auparavant ? N'avait-elle pas vu avec horreur le jeune homme
aux cheveux roux et ivre de whisky qui jonglait avec la
pierre de curling pesant une vingtaine de kilos ?

Les dommages au bas du dos d'Alan étaient invisibles
à l'œil nu. Mais Meg ne pouvait ignorer la douleur qu'elle
lisait sur le visage de son frère quand il essayait de se
lever ou lorsqu'il s'appuyait pesamment sur le bras de son
père. Il avait eu une jeunesse difficile assurément. Et il
avait rendu la vie pénible à ses parents aussi, non seulement en raison de sa blessure, mais à cause de son naturel
irritable, que son père et sa mère toléraient ou étaient
incapables de contenir.

— Une tragédie, acquiesça madame Darroch, avant
d'inspirer comme si elle se préparait à faire un long
exposé sur le sujet.

— Au suivant, s'il vous plaît, dit l'employé du guichet.

Heureuse de ce prétexte pour clore la discussion au sujet d'Alan, Meg se retourna pour constater que la queue avait disparu et que l'employé lui faisait signe d'avancer. Elle se précipita vers le guichet vitré, puis murmura sa destination, espérant que madame Darroch fût hors de portée de voix.

Une précaution sans effet, comprit Meg, car la femme apprendrait son départ précipité bien assez vite. Comme leurs nombreux voisins de la place Albert d'ailleurs. Il semblait à Meg qu'elle pouvait les entendre à un demi-kilomètre de distance.

La demoiselle Campbell n'a été à la maison qu'une seule journée.

Oui, et elle est partie avant Noël.

Vous pouvez être sûrs qu'elle a brisé le cœur de sa mère.

Ce n'est pas la première fois ni la dernière. Pauvre Lorna Campbell.

Meg prit deux autres pièces d'argent, ravalant le sanglot dans sa gorge. Pourquoi n'avait-elle pas confié une note au porteur ? Elle écrirait à sa mère tout de suite — dans le train, si elle parvenait à maîtriser les tremblements de sa main pour former les mots. *Je suis désolée, maman. Si désolée.* Meg rappellerait gentiment à ses parents qu'Édimbourg était son foyer maintenant et seulement à une heure de train. *Venez me voir, maman. Bientôt.*

L'employé du guichet, un homme aimable arborant des cheveux ondulés et une moustache mince, lui plaça délicatement le billet dans la main.

— Allez prendre un bon thé chaud, dit-il en indiquant du doigt un comptoir de bois en face du quai, où les passagers étaient attroupés, tasses et soucoupes à la main. Un demi-penny la tasse, précisa-t-il.

Son moral remonta quelque peu à la perspective de la boisson chaude. Meg fit un détour pour éviter madame Darroch, occupée à faire des remontrances à son animal. Pas de doute, le train qui entrait en gare comptait Johnny Darroch parmi ses passagers. Enveloppée dans un nuage de vapeur, la locomotive s'immobilisa, le grincement du métal contre le métal emplissant l'air glacial.

Meg fit un arrêt au kiosque à journaux près du quai numéro 3 en se disant qu'un roman pourrait lui changer les idées. Elle fit rapidement son choix, puis s'approcha d'une caissière au visage rougeaud qui offrait aussi du thé et du café. Un tourbillon de neige souffla sur le quai de la voie ferrée et autour des bottes en vachette de Meg. Le temps ne s'améliorait vraiment pas. Certains décembres à Stirling étaient neigeux, d'autres simplement froids. L'hiver de ses quinze ans, il était tombé des flocons gros comme des shillings, et la couche de neige au sol se mesurait en mètres.

Elle commanda du thé avec du lait et du sucre, lorgnant les brioches aux raisins et les tartelettes aux fruits dans le bocal de verre. Peut-être plus tard, quand son appétit reviendrait. En ce moment, son estomac était trop serré.

— Autre chose pour vous ? demanda la caissière en lui présentant son thé fumant et odorant.

Meg fut étonnée de voir ses doigts qui tremblaient en levant la tasse.

— Tout ce que je désire est un voyage de retour à la maison sans encombre.

— Un jour comme celui-là ? s'exclama la femme au visage rond. Seul le Tout-Puissant peut vous promettre cela.

Chapitre 2

J'ai cela en moi —
pour lequel il n'y a aucun pansement!

— DAVID GARRICK

Gordon Shaw était du côté opposé du quai de chemin de fer, au-delà du toit. Ses empreintes étaient recouvertes d'une fraîche couche de neige, et l'ironie de la situation lui arracha un sourire mi-amer. *On dissimule ses traces, c'est ça ?*

Personne ne l'avait vu se faufiler à Stirling plus tôt ce matin-là, car il faisait encore noir. Il était descendu du train, avait rabattu sa casquette de tweed sur son front et s'était dirigé d'un pas déterminé vers le chemin Dumbarton.

Après douze ans d'absence, Stirling ressemblait encore beaucoup à ses souvenirs : une populeuse ville à flanc de montagne remplie d'infinis regrets. Il ne voulait pas revenir, pas même pour une journée. Mais qu'aurait-il pu raconter au rédacteur en chef de son journal sans éveiller ses soupçons ? Il valait mieux faire son travail et garder son triste passé pour lui-même.

À midi, il avait terminé son reportage et fourré un paquet de notes dans son sac de voyage. Le jeudi précédent, un photographe du *Glasgow Herald* avait croqué une bonne image de son sujet d'entrevue. Il ne restait plus qu'à rédiger l'article. Il pourrait s'en charger à son retour à Édimbourg, où une autre rencontre l'attendait le lendemain de Noël.

— Vous ne passerez certainement pas Noël à l'hôtel Waterloo ? lui avait demandé son rédacteur en chef avec une expression incrédule au visage.

Gordon avait haussé les épaules, comme si cela ne lui importait guère.

— Des draps propres, des repas chauds. Aussi bien qu'à la maison, mais ne répétez pas cela à madame Wilson.

Sa gouvernante rangeait les quatre pièces de son logement tous les après-midi pendant la semaine, puis laissait un souper chaud dans le four et mettait le couvert pour une personne. Il lisait habituellement le *Scotsman* en mangeant, trop absorbé par la lecture du journal concurrent pour s'attarder au grand calme qui régnait chez lui.

En ce qui concernait ses vacances, elles étaient généralement mieux passées ailleurs, afin de détourner son esprit de ce qu'il avait perdu et ne pouvait retrouver. Dans son logement, il était entouré de meubles qui avaient autrefois appartenu à ses parents — un buffet de chêne, des lampes de table en laiton et en cuivre, de la porcelaine bleu et blanc garnissant la cimaise, le sofa rembourré recouvert d'une riche étoffe au profond boutonnage, le coin des objets hétéroclites avec ses nombreuses tablettes. Bien qu'il n'eût pas dépensé un penny de son héritage,

Gordon était heureux de pouvoir jouir de l'usage de meubles qu'il connaissait si bien. La plupart du temps, c'était un réconfort pour lui. Mais pas la veille de Noël.

En décembre de l'année précédente, il avait trouvé un prétexte pour aller à Dumfries. Cette année, c'était Stirling, puis Édimbourg. S'évader de Glasgow quelques jours lui offrait un autre avantage : madame Wilson célébrerait la naissance du Seigneur avec sa famille plutôt que de s'inquiéter à son sujet.

Il baissa les yeux vers les voies ferrées, prêtant l'oreille, ses mains gantées enfouies dans les poches de son manteau et le *Stirling Observer* glissé sous le bras. Le train venant du sud était attendu à tout moment maintenant, mais la neige abondante empêchait de dire si la locomotive approchait. Quand les autres passagers commencèrent à se déplacer sur le quai, il leur tourna le dos, la tête entre les épaules, espérant que le train entre en gare avant que quelqu'un ait pu le reconnaître.

Il était peu probable qu'on se souvienne de lui, se rassura Gordon. Quand il était parti de Stirling, c'était un garçon imberbe de dix-sept ans, avec de longs avant-bras maigres surgissant de ses manches trop courtes. Maintenant, il portait une barbe bien taillée encore plus rousse que sa chevelure et un complet de laine convenant à sa stature plus forte et plus haute. Le temps avait été bénéfique pour lui. Une fois qu'il serait rentré à Édimbourg, toute peur d'être identifié serait passée.

Sa conscience le harcelait. *Est-ce tout ce qui t'importe, Shaw ? Ta réputation ? Et ce garçon blessé ? Que fais-tu d'Alan Campbell ?*

Gordon changea de position, mal à l'aise face à de telles questions. Bien sûr, ce jeune Campbell avait de l'importance. Il devait être un homme maintenant. De vingt-deux ans. Cloué au lit, peut-être, ses jambes refusant de lui rendre service.

Chaque détail de cet après-midi-là de janvier était gravé dans la mémoire de Gordon, depuis le sapin près de l'étang de curling de King's Park jusqu'au temps glacial encore plus froid qu'aujourd'hui. Tout le comté de Stirling semblait réuni sur les berges de l'étang, attendant le début de la partie, quand il s'était avancé sur la glace, riant aux éclats et titubant, après avoir pris trop de verres de whisky. Il avait empoigné sa pierre de curling, faisant tournoyer la lourde masse en forme de théière, provoquant les autres garçons, promettant de couronner l'un d'eux «roi de la fève» de l'Épiphanie.

Puis, c'était arrivé. La poignée avait glissé de sa main au moment précis où Alan Campbell, alors un garçonnet de dix ans, s'élançait sur l'étang glacé. La pierre de curling de granit l'avait atteint directement au milieu du dos. Alan avait poussé un cri de douleur si aigu que tous les spectateurs s'étaient retournés pour voir qui était blessé. Et connaître le responsable.

Je ne voulais pas lui faire de mal.

Combien de fois Gordon avait-il répété ces mots? Quoique ses excuses ce soir-là fussent sincères, elles ne pouvaient guérir le petit garçon ni réconforter sa sœur, qui le tenait sur ses genoux, pleurant à chaudes larmes.

Le lendemain, toute la ville lui avait tourné le dos. Quand il était allé frapper à la porte des Campbell pour présenter ses excuses, on ne l'avait pas reçu. Quand il avait écrit à la famille, ses lettres lui avaient été renvoyées sans avoir été ouvertes. Dans les semaines qui avaient suivi, il avait quitté Stirling en disgrâce pour tenter de refaire sa vie à Glasgow. Ses parents étaient demeurés à Stirling jusqu'à ce qu'ils ne puissent plus supporter davantage le poids de la honte et avaient déménagé en Angleterre, d'où sa mère était originaire.

Depuis cet après-midi-là de janvier, Gordon n'avait pas pris une goutte de whisky, n'avait jamais raté un dimanche à l'église ni donné à quiconque un nouveau motif de le mépriser. Il avait même refusé de toucher à une pierre de curling, tout en priant Dieu pour qu'il guérisse Alan et répare le tort que son insouciance avait causé. Mais ici, dans sa ville natale, les souvenirs étaient vivaces et le pardon difficile à obtenir.

Dans le lointain, un coup de sifflet perça l'air. Gordon se rapprocha de la voie ferrée, impatient de partir de Stirling, de disparaître comme les collines Ochil maintenant cachées derrière l'épais rideau de neige. Quand le train entra finalement en gare et s'immobilisa, il bondit par l'une des étroites portes de bois, puis se dirigea vers deux sièges vacants à l'avant d'une voiture de deuxième classe. Il choisit la place près de la fenêtre et déposa son sac près de lui, espérant que personne n'ait besoin du siège près du couloir.

Cherchant refuge derrière son journal, Gordon parcourut les colonnes d'encre noire. Le rythme saccadé des voix autour de lui était caractéristique des hommes de Stirling. Les « fils du rocher », comme on les appelait. C'était une allusion au grand rocher escarpé qui dominait la ville, avec le vieux château de Stirling à son sommet.

Jeune garçon, il avait pourchassé bien des ballons sur la venelle du château. Quelques-uns des hommes conversant derrière lui avaient probablement fait de même. Il y avait peut-être aussi des joueurs de curling parmi eux. De vieux amis depuis longtemps oubliés. Ou qui se souvenaient trop bien de lui.

Gordon regarda par-dessus son épaule. Ce type aux cheveux noirs là-bas, était-ce l'un des frères Gillespie ? Difficile d'en être certain. Stuart et Roy devaient être dans la trentaine maintenant. Il regarda d'autres voyageurs, n'en reconnaissant aucun. Ni cet homme mordillant sa pipe éteinte, ni ce gaillard à la mine patibulaire arborant une balafre au menton, ni cette petite femme portant un bambin exubérant dans ses bras.

Il était sur le point de regarder devant lui de nouveau quand une bouffée d'air glacial annonça l'arrivée d'un autre passager. Une jeune femme portant un grand chapeau noir venait d'entrer rapidement dans la voiture, et elle paraissait soucieuse. Elle prit place sur le siège de l'autre côté du couloir, plaça une petite sacoche à ses pieds, puis croisa les mains sur ses genoux. Ses mouvements étaient efficaces, sa posture tirée au cordeau.

Gordon la regarda du coin de l'œil. La plupart des femmes écossaises qu'il connaissait avaient les cheveux noirs ou cuivrés et une peau tachetée de son, mais celle-là était blonde avec un teint de porcelaine. Ce n'était pas une femme qu'il oublierait facilement s'il avait la bonne fortune de lui être présenté. Était-elle de Stirling ?

Quand elle le regarda rapidement sous le bord de son chapeau, Gordon nota une lueur de tristesse dans ses yeux bleu clair. Peut-être se rendait-elle à des funérailles. Une pensée triste, spécialement la veille de Noël.

Il retourna à son *Stirling Observer*, mais les mots imprimés s'embrouillaient tandis que son esprit était attiré vers sa voisine. Quelque chose chez elle lui était vaguement familier. Leurs chemins s'étaient-ils déjà croisés auparavant? Dans un restaurant, peut-être? Au petit salon d'un théâtre? Ses yeux brillants suggéraient un esprit éveillé. Si elle était de Glasgow, il avait dû la voir dans un cours ou la remarquer entre les rayons de la bibliothèque à l'université. Gordon osa un regard de biais vers elle, puis attendit qu'elle regardât de nouveau dans sa direction.

Au bout d'un moment, elle leva le menton, et leurs regards se croisèrent. Bien que rien n'indiquât qu'elle l'eût reconnu, il remarqua une lueur d'intérêt dans ses yeux. Ou imaginait-il cela aussi?

Quand elle tourna la tête, Gordon fit de même à contrecœur, avant de replier son journal, lassé de cette comédie. Sans présentation en bonne et due forme, il ne pouvait engager la conversation avec elle, quel que fût son désir de le faire. Il ne lui restait plus qu'à regarder par la fenêtre, espérant que la neige cessât de tomber et que le train se mît en marche.

Dix longues minutes passèrent, puis vingt, puis quarante. Consulter sa montre de poche n'arrangeait pas les choses. Il regardait le vent former des congères — des « guirlandes de neige », pour employer l'expression de sa grand-mère écossaise — contre la base du quai et sur les roues du train. Ils n'avaient pas de collines à gravir pour se rendre à Édimbourg, et seulement quelques courbes peu prononcées à franchir avant d'arriver à la gare de Falkirk. N'était-il pas préférable de se mettre en marche tout de suite, plutôt que d'attendre qu'encore plus de neige n'ait eu le temps de s'accumuler sur les rails ?

Quand le chef de train entra par l'arrière de la voiture, les passagers se tournèrent tous vers lui d'un seul mouvement, en quête de réponses.

— Vous voulez sans doute savoir ce qui a retardé notre départ, dit l'homme d'un ton naturel, son large visage rougi par le vent. Il y a de la glace sur les voies. Les roues n'ont pas de prise sur les rails. Nous avons envoyé des hommes devant pour dégager la voie, mais...

Il secoua la tête.

— Ils n'auront peut-être pas fini avant dix-huit heures. Peut-être plus tard.

Gordon n'aimait pas ce qu'il entendait. Qu'est-ce que ce « plus tard » signifiait ?

— Vous pouvez descendre si vous le voulez, reprit le chef de train en faisant un geste en direction du quai, saupoudrant au passage la neige accumulée sur la manche de son manteau sur quelques passagers. Et passer la nuit à Stirling.

Impossible. Gordon faillit le dire à voix haute.

La femme blonde de l'autre côté du couloir semblait aussi désemparée.

— Ne continuerez-vous pas d'essayer, monsieur McGregor ?

— Oui, répondit le cheminot, car nous avons des passagers à toutes les gares sur notre trajet qui attendent notre arrivée. Vous pouvez rester à bord si vous le désirez. Tant que le cendrier sous la locomotive ne sera pas rempli par la neige, nous aurons assez de tirage pour brûler le charbon et chauffer les voitures.

Gordon regarda par la fenêtre un ciel qui était maintenant d'un noir d'encre. La nuit tombait tôt en décembre, et la température suivait rapidement.

Le chef de train se dirigea vers la porte.

— Le temps pourrait s'améliorer, mademoiselle Campbell.

Campbell? Gordon fut interloqué, bien que ce nom de famille fût assez courant. On trouvait des Campbell dans presque tous les coins de l'Écosse.

— Alors, j'attendrai, dit-elle en se tournant vers l'avant.

Gordon resta immobile, fasciné par sa silhouette. Le petit nez retroussé. Le menton volontaire projeté vers l'avant. Pourquoi n'avait-il pas remarqué ces détails auparavant?

Sa bouche ne formait pas un O angoissé, et ses yeux bleus n'étaient pas noyés de larmes, comme ils l'avaient été sur l'étang de curling douze hivers auparavant. Mais Gordon n'avait aucun doute sur son identité.

La jeune femme assise de l'autre côté du couloir était la sœur d'Alan Campbell.

Chapitre 3

De la neige était tombée, de la neige sur la neige,
de la neige sur la neige,
au cœur de l'hiver, il y a si longtemps.

— CHRISTINA ROSSETTI

Chapitre 3

Meg serra si fort les mains que ses doigts lui firent mal. *Passer la nuit à Stirling ?* Elle imaginait trop bien ce que son frère dirait si elle réapparaissait à la place Albert. À n'importe quelle heure, par n'importe quel temps, le train devrait rentrer à Édimbourg ce soir même.

Pendant que plusieurs passagers reprenaient leurs bagages et abandonnaient leur siège, Meg rajusta son écharpe de laine autour de son cou et se prépara à rester le temps qu'il faudrait. Elle essaya de ne pas trop penser aux tartelettes aux de fruits de la gare de Stirling. Mais elle aurait volontiers pris une tasse de thé. Et dans l'une de ses poches se trouvait une pomme qu'elle avait emportée la veille. Elle serait sans doute heureuse de l'avoir avant la fin du voyage.

La voiture de deuxième classe était devenue décidément plus silencieuse. Plus froide aussi. De l'autre côté des minces vitres, le vent s'engouffrait sur les rails, poussant la neige comme une déneigeuse. Seule la mère avec son petit enfant demeurait à bord, en plus du gentilhomme séduisant assis de l'autre côté du couloir.

Quand ils avaient échangé des regards plus tôt, Meg crut avoir noté une lueur d'intérêt de sa part, et elle avait été réceptive. Maintenant, il se contentait de la regarder d'un air affligé.

Quand elle ne put le tolérer davantage, Meg demanda :

— Quelque chose ne va pas, monsieur ?

Il se redressa immédiatement en rougissant un peu au-dessus du col.

— Non, mademoiselle, je vous prie de m'excuser.

Il salua poliment d'un coup de casquette puis se détourna.

Meg se blottit dans son siège et aurait souhaité que le ton de sa voix eût été plus aimable. Elle avait plutôt joué son rôle d'institutrice, l'interrogeant comme s'il était un élève dissipé.

Pas étonnant que les hommes soient sur leurs gardes avec elle ! Ne l'avaient-ils pas toujours été, même avant qu'elle fréquente l'université ? Au fil des ans, ses réparties piquantes et son esprit indépendant avaient fait fuir les quelques prétendants qui avaient frappé à sa porte. La plupart du temps, elle avait été soulagée, mais à une ou deux occasions, elle l'avait amèrement regretté.

Dans la commode de sa chambre de la place Albert, il y avait une écharpe tricotée plusieurs années auparavant pour un garçon prometteur du nom de Peter Forsyth. À la suite de promenades en sa compagnie quelques dimanches d'affilée, elle lui avait tricoté une jolie écharpe bleue, convaincue qu'ils se fianceraient à la Saint-Martin. Plus tard cet automne-là, quand Forsyth cessa ses visites, elle l'avait rangée, avec sa déception.

Puis il y eut monsieur Wallace, qui s'était lassé de l'entendre constamment corriger sa grammaire et qui le lui avait dit. Et ce monsieur Alexander, qui l'avait courtisée brièvement jusqu'à ce qu'elle admît son attachement pour les bureaux rangés et les crayons bien taillés. Et le provincial monsieur Duff, dont l'ardeur s'était affadie quand elle lui avait confié son désir d'explorer le monde au-delà du comté de Stirling.

Si l'intérêt de ce gentilhomme roux pour elle était sincère, Meg craignait peut-être de l'avoir déjà tué dans l'œuf. N'apprendrait-elle donc jamais ?

Meg soupira, puis déboutonna son manteau, le temps de jeter un coup d'œil à la montre ronde en argent épinglée à son corsage. *Seize heures trente.* Si monsieur McGregor avait raison, il pourrait s'écouler plus d'une heure avant que le train ne se remît en marche. Ce n'est qu'à ce moment-là qu'elle se souvint du bouquin qu'elle avait acheté à la gare — *Le maître de Ballantrae*, un livre mince relié en toile, du défunt monsieur Stevenson. Meg fouilla dans sa poche de manteau pour le retrouver, heureuse d'avoir une histoire pour lui tenir compagnie.

Mais même le secret centenaire de Lord Durrisdeer ne put capter son attention par une telle soirée. Après quelques pages, elle rangea le roman dans sa sacoche. Trop de choses lui pesaient sur le cœur — la neige incessante, l'incertitude du délai et, par-dessus tout, la pénible conversation avec son frère. *Les paroles blessantes réveillent la colère.* Elle connaissait ce proverbe depuis longtemps, mais elle avait été témoin de sa vérité encore aujourd'hui.

Elle changea de position sur son siège, essayant de trouver quelque chaleur dans le chauffe-pieds métallique rempli plus tôt avec du charbon de la chaudière de la locomotive. Bientôt, elle serait en sécurité et douillettement installée dans sa maison de la rue Thistle, avec son foyer crépitant et une théière sifflant sur le poêle.

En rentrant chez elle, après être descendue à la gare de la rue des Princes, il y aurait des bougies dans presque toutes les fenêtres, et de riches et croustillants sablés en train de cuire dans une multitude de fourneaux. Elle n'avait pas laissé grand-chose dans son garde-manger, croyant être absente toute la semaine. Mais elle avait assez de beurre, de sucre et de farine pour une fournée de sablés, encochés au pourtour comme les gâteaux de Yule[1] de jadis.

En ce moment, toutefois, c'était le temps qui était au centre de toutes les pensées. Après des heures de tempête, la neige s'était transformée en une poussière fine et piquante, pareille à de la glace concassée, qui fouettait les vitres du train. Le sentiment d'un sombre présage l'envahit peu à peu. Et si les panneaux de signalisation gelaient et que deux trains étaient par mégarde aiguillés sur la même voie? Cela s'était déjà produit précédemment sur le chemin de fer de la Great Northern. Ou si la neige bouchait le cendrier et que la locomotive étouffait, les laissant en rade et sans chauffage en pleine campagne?

Rentre à la maison. Le rythme de son cœur s'accéléra à ce besoin aussi pressant qu'inattendu.

À la maison d'Édimbourg? Ou à celle de la place Albert?

---

1. N.d.T. : Yule est une ancienne fête d'hiver germanique et païenne associée à la fête de Noël.

Elle regarda la portière de la voiture. Une poignée de personnes s'attardaient toujours sur le quai. Devrait-elle recourir au service du même porteur pour sa malle ? La faire livrer chez ses parents et s'y faire emmener aussi ? Meg connaissait la réponse. Jamais par ce temps, quelle que fût la somme offerte. Pas plus qu'elle n'était prête à affronter de nouveau son frère et à réentendre sa litanie de reproches.

Alors, à Édimbourg.

Comme s'il répondait à son désir, le bruyant sifflet du train retentit longuement. Puis la locomotive tressaillit dans un grand panache de fumée. Bien qu'avec deux heures de retard, le trois vingt-six était finalement en marche.

Soulagée, Meg jeta un coup d'œil à la femme qui voyageait avec son enfant, pensant échanger un sourire avec elle. Mais le bambin, apparemment effrayé par tout ce bruit, pleurnichait sur l'épaule de sa mère. Ou peut-être avait-il faim. Meg se souvint d'Alan à cet âge, qui émettait ce genre de plaintes à l'approche de l'heure des repas.

Elle retira la pomme de sa poche. Le garçon était-il assez grand pour la manger ? Offenserait-elle la mère en la lui offrant ? Meg se leva et se dirigea vers l'arrière de la voiture, dont les soubresauts rendaient sa démarche incertaine. Quand elle atteignit le bambin de deux ans, elle lui remit son présent tel quel — sans meurtrissures heureusement et de bonne taille pour une reinette rouge.

— Oh ! dit la mère en ouvrant tout grands les yeux. Regarde ce que la gentille dame t'a apporté.

Elle prit la pomme en hochant la tête pour remercier, tandis que le bambin s'essuyait le bout du nez avec sa manche, toutes ses peines oubliées. La mère souriait à l'enfant.

— Maman prendra la première bouchée, dit-elle, puis elle la partagera avec toi, d'accord?

Meg les observa, touchée par la manière dont la mère prenait délicatement une petite bouchée dans le fruit, retirait la pelure, puis en nourrissait son fils. Le processus était un peu lent au goût du bambin, mais la mère en fit un jeu, cachant chaque morceau avant de le révéler en mimant la surprise.

— Vous êtes courageuse d'être restée à bord du train avec votre fils, dit Meg en parcourant les sièges vides du regard.

La femme déposa un baiser sur la tête du garçon, puis leva les yeux.

— Mon mari travaille à Édimbourg et il ne peut venir à la maison pour Noël. Alors, nous avons pensé lui faire une surprise. Nous y serons dans moins d'une heure, n'est-ce pas? demanda-t-elle, avant de sourire à son fils qui mâchouillait une autre bouchée. Grâce à vous, mademoiselle, notre garçon n'arrivera pas affamé.

— J'en suis ravie, dit Meg, qui regagna son siège le cœur léger, se rappelant qu'il s'agissait d'un geste tout simple.

Rien pour s'enorgueillir. Pourtant elle le faisait, enfin un peu.

Entre-temps, l'autre passager s'était replongé dans son journal, mais sans bouger la tête ni tourner les pages. Meg sympathisait avec l'homme. N'avait-elle pas déjà essayé de lire elle aussi mais sans succès? Il semblait avoir quelques années de plus qu'elle. Svelte mais musclé, sans doute un sportif. Et un peu négligé aussi. Son sac de voyage n'était pas bouclé, et ses papiers émergeaient en désordre. Des journaux, surtout.

Au-delà de l'enceinte sécuritaire de leur voiture, la neige était cachée par la noirceur, sauf quand un réverbère planté le long de la voie illuminait brièvement une parcelle du paysage austère et blanc. Des sapins étaient légèrement inclinés sous le poids de la neige, leurs branches suspendues dangereusement près des rails.

Leur progression était lente et saccadée, comme si la locomotive traînait les voitures sur un lit de pierres, et non sur de lisses rails d'acier. Chaque fois que le train faisait une brusque halte, pour s'ébranler l'instant d'après, Meg s'agrippait aux accoudoirs de bois afin d'éviter d'être projetée hors de son siège. Au bout de quelques minutes, l'homme du côté opposé du couloir déposa son *Stirling Observer* et serra fortement son sac de voyage contre lui.

La gare de Larbert était à environ huit kilomètres de distance, et il y avait au moins une dénivellation importante d'ici là. Meg regarda par la vitre givrée près d'elle. Aucun des points de repère familiers du trajet n'était visibles. Même les tunnels franchis étaient davantage ressentis que vus.

Alors que les minutes s'égrenaient, le train sembla prendre de la vitesse. Rien qui ressemblât à son rythme habituel, mais il allait tout de même un peu plus vite. Meg prit sa sacoche, espérant que le plan de ses cours du prochain semestre la distrairait. Quand l'homme regarda dans sa direction, une expression interrogative au visage, elle hocha légèrement la tête. *Je me porte bien, monsieur. Merci de votre intérêt.*

Meg regarda sa montre de nouveau. Elle serait à la maison au plus tard à dix-neuf heures, dix-neuf heures trente peut-être...

Soudain, son sac fut projeté dans le couloir, et elle fut elle-même lancée contre le siège devant elle, les épaules d'abord. Le train entier frémit. Un son terrible, comme du fer mordant la glace, se réverbéra dans toute la voiture, puis le silence. Ébranlée, Meg s'effondra devant, seulement consciente d'une douleur lancinante et d'un petit garçon réclamant sa mère en pleurant.

Chapitre 4

Un héros est un homme qui fait ce qu'il peut.

— Romain Rolland

Gordon secoua la tête et resta étourdi un moment. Comment s'était-il retrouvé sur les genoux, au beau milieu du couloir ?

C'est alors qu'il se souvint du train qui s'était violemment arrêté et de la vague impression d'avoir heurté quelque chose. Il prit bien son temps pour se relever, voulant s'assurer qu'il avait retrouvé son équilibre, puis jeta un regard circulaire dans la voiture plongée dans la pénombre, pour voir si d'autres passagers étaient tombés aussi.

Et c'était bien le cas. À en juger par la manière dont mademoiselle Campbell tenait son épaule, elle avait été blessée. Peut-être gravement.

— Ça va, mademoiselle ?

Elle hocha légèrement la tête.

— Pouvez-vous vous occuper de l'enfant ?

Gordon se dirigea vers le garçon étendu sur le dos et agitant ses membres. Il le saisit promptement et déposa l'enfant gesticulant sur le siège auprès de sa mère.

— Comment puis-je vous être utile, madame ?

Elle grimaça en essayant de se relever, car sa jambe était coincée à un angle inhabituel.

— J'ai peur…

— Oui, je vois, dit Gordon d'un ton neutre, ne voulant pas l'alarmer.

Mademoiselle Campbell était maintenant debout et se rendait auprès d'eux.

— Si vous vouliez bien tenter de trouver le chef de train, monsieur, pendant que je m'occupe de madame…

— Reid, dit la femme d'une voix ténue. Et voici mon garçon, Tam.

Gordon sortit avant qu'elles aient pu lui demander son nom. Meg Campbell ne l'avait pas reconnu, semblait-il. Quel âge avait-elle alors ? Treize ans ? Quatorze, peut-être ? Si elle apprenait son nom de famille, cela ne risquait-il pas d'éveiller ses souvenirs ?

Il était inutile de s'inquiéter de cela maintenant. Peu importe ce qui était arrivé au train, les nouvelles ne seraient pas bonnes.

Gordon ouvrit la portière de la voiture, puis descendit avec précaution sur la plateforme de la voie ferrée. Le vent de la nuit faisait battre son manteau sur ses jambes comme un drapeau contre sa hampe. De la neige glacée coupante comme des glaçons mordait chaque parcelle de sa peau exposée — sa nuque, l'espace étroit entre ses manches et ses gants, le haut de son visage. Il avança péniblement vers l'avant du train, le menton appuyé sur sa poitrine, tout en s'agrippant à la rampe extérieure de la voiture pour se retenir, conscient de la pente abrupte du talus à moins de trente centimètres à sa droite.

Quand il atteignit l'un des petits compartiments de première classe, Gordon se hissa vers la porte avec quelque difficulté, puis il l'ouvrit d'une secousse, faisant tomber du toit un paquet de neige, qui s'abattit sur ses épaules.

— Venez, monsieur! cria un homme bien vêtu qui lui faisait signe d'entrer, manifestement indifférent à l'apparence de Gordon. Avez-vous quelque chose à nous apprendre?

— Nous avons besoin d'un médecin dans la voiture de deuxième classe, dit Gordon sans préambule. Deux femmes, l'une légèrement blessée, l'autre plus sérieusement, j'en ai peur.

Il regarda les visages angoissés des trois passagers.

— Savez-vous ce qui est arrivé? demanda-t-il.

— Nous espérions l'apprendre de vous, admit l'homme plus âgé. Quoi qu'il en soit, le docteur Johnstone, ici présent, peut se rendre auprès des dames.

Un jeune homme au regard brillant, âgé d'au plus vingt-cinq ans, boutonnait déjà son manteau et prenait sa trousse médicale à ses pieds. Le cuir ne portait pas encore une égratignure et le fermoir de laiton luisait à la lumière de la lampe.

— Une dame Reid et une demoiselle Campbell, lui dit Gordon. Vous devriez peut-être aller voir en troisième classe aussi.

Johnstone partit sans s'attarder, manifestement désireux de se rendre utile.

— Je me rends à la locomotive, dit Gordon aux autres passagers.

Quelques instants après, il était de nouveau couvert de neige fraîche alors qu'il marchait péniblement près d'un autre compartiment de première classe, puis dépassait le tender rempli de charbon. Quand il atteignit la cabine, ni le mécanicien ni le chauffeur n'étaient à leur poste. Il se rendit à l'avant du train, où il trouva les hommes en même temps que la cause de leurs difficultés : la moitié avant de la locomotive était ensevelie dans un grand amoncellement de neige.

Le rayon de lumière blafarde de la lampe du chauffeur rendait la situation trop évidente. La locomotive s'était engagée dans une profonde tranchée, dont les hautes parois avaient emprisonné la neige. De fortes bourrasques du nord avaient achevé le travail, créant un mur de neige arrivant à la hauteur de l'épaule et invisible dans la tempête.

Gordon cria dans le vent.

— Peut-on se dégager, monsieur ?

— Trop tôt pour le dire, grommela le mécanicien en projetant le contenu d'une autre pelletée. J'ai déjà connu des tempêtes de neige comme celle-là avant. Mais pas depuis plusieurs années. Et jamais la veille de Noël, où nous manquons d'effectifs.

Gordon chercha le chef de train du regard.

— Où est McGregor ?

— En troisième classe, vint la réponse du chauffeur. Il cherche des bras pour nous aider à nous dégager d'ici. Un aiguilleur est déjà parti à pied afin de rapporter notre situation à Stirling.

Il regarda Gordon par-dessus ses lunettes cerclées de fer.

— Nous aiderez-vous, monsieur ?

Gordon savait que ses bottes habillées ne convenaient pas à la tâche, que ses gants de vachette étaient trop minces et que l'écharpe de laine qu'il avait oubliée dans le train du matin lui manquerait cruellement.

Il s'empara d'une pelle plantée dans la neige.

— Montrez-moi où commencer.

La combinaison de la neige lourde et mouillée et du froid cinglant ne rendait pas les choses faciles. Quand l'aide vint des autres voitures, il n'y avait pas assez de pelles pour tous, alors les hommes se mirent à pelleter avec des plateaux de métal, des seaux à charbon et tout ce qu'ils pouvaient trouver pour déplacer la neige. Les lanternes dispersées çà et là étaient de peu d'utilité, sinon pour montrer aux hommes tout ce qui restait à accomplir.

Gordon perdit toute notion du temps alors qu'il lançait sa pelle dans la neige encore et encore. Son dos le faisait souffrir, et les muscles de ses bras et de ses épaules devenaient plus tendus à chaque chargement. S'ils arrivaient à dégager la voie suffisamment, ils pourraient atteindre Édimbourg cette nuit même. Le passé resterait enterré et sa honte avec lui.

Mais sa conscience refusait d'être réduite au silence. *Tu voulais t'excuser pour ce qui s'est passé il y a douze ans. Pourquoi ne pas le faire cette nuit ?*

À cette seule pensée, la chaleur lui monta au visage, donnant encore plus d'effet aux morsures du froid. Que dirait-il à la jeune femme après tout ce temps ? Par où commencer ? *Mon nom est Gordon Shaw. Il y a douze ans de cela, j'ai fait une chose impardonnable…*

Mais n'était-ce pas ce qu'il voulait ? Le pardon ?

Gordon projeta un nouveau tas de neige dans les airs, et il aurait voulu se décharger du poids de sa culpabilité aussi facilement. Aucune parole, si sincère fût-elle, ne pourrait défaire ce qui était arrivé cette nuit-là. Confesser ses péchés maintenant ne ferait que rouvrir de vieilles blessures. N'avait-il pas déjà fait assez de mal ?

Gagné par la frustration, il planta violemment sa pelle dans la neige. À quoi bon demander pardon, si cela n'accomplissait rien d'utile ?

Gordon besognait dans un silence de pierre, incapable d'accepter la tempête qui faisait rage en lui. Quand la locomotive serait libérée de sa prison de neige, il continuerait sa route vers le sud — raison de plus pour continuer à pelleter.

Après deux longues heures, McGregor parla brièvement avec son mécanicien, puis demanda à tous d'interrompre leurs efforts.

— Vous avez tous fait de votre mieux, dit le chef de train à ses volontaires exténués. Malheureusement, je viens d'apprendre que la tige de piston de la locomotive n'a pas résisté au choc. Nous ne pouvons ni avancer ni reculer.

Tous leurs efforts n'avaient servi à rien.

Gordon s'arma de courage. Il savait ce qui l'attendait ensuite.

— Apportez les bagages que vous pouvez et laissez les autres derrière, reprit McGregor. L'un de mes hommes restera derrière pour surveiller le train. Nous retournerons à Stirling à pied.

Gordon se dirigea vers la voiture de deuxième classe, essayant de dominer ses appréhensions. Il pourrait marcher avec un groupe d'hommes et éviter mademoiselle Campbell tout à fait. Une fois arrivé à Stirling, il pourrait trouver une chambre au café à l'entrée de la rue Baker. Il s'y réfugierait pour la nuit, puis se faufilerait hors de la ville dès que le service de train serait rétabli…

Non. Gordon ralentit le pas. *Ce n'est pas ainsi que les choses se passeront, Shaw. Pas cette fois-ci.*

Il continua de marcher, tandis que la voix de sa conscience continuait de le talonner.

Tu as porté ce fardeau assez longtemps. Qu'attends-tu donc ?

Il attendait le moment propice. Et ce n'était pas ce soir.

Gordon se hissa sur le marchepied de la voiture avec un grognement, puis ouvrit la porte un peu plus brusquement qu'il ne l'aurait voulu. Elle alla donner contre la paroi, effrayant le petit Tam, qui se mit à pleurer.

Gordon ferma la porte rapidement derrière lui, s'en voulant de sa maladresse.

— Je n'avais pas l'intention d'effrayer le garçon, dit-il.

— Vous ne l'avez pas fait exprès, dit mademoiselle Campbell avec un faible sourire, puis elle passa une main sur la tête duveteuse de Tam, le calmant immédiatement. Vous devez être épuisé d'avoir pelleté tant de neige.

Il haussa les épaules, ne voulant pas l'admettre.

Elle semblait avoir les choses bien en main. Leurs divers sacs de voyage étaient rangés sous les sièges, tandis que madame Reid était enveloppée dans une couverture du compartiment à bagages, les pieds appuyés sur un chauffe-pieds qu'on venait tout juste de remplir de charbon.

— Gracieuseté du docteur Johnstone, expliqua mademoiselle Campbell. Partons-nous maintenant?

— Oui, mais pas à bord du train, dit Gordon d'un ton hésitant, voulant sonder sa réaction. Nous devrons rentrer à Stirling à pied.

— Mon Dieu, dit-elle, et ses yeux bleus brillaient d'inquiétude. La blessure de madame Reid ne le permet pas. Et son fils ne peut marcher pareille distance.

— Alors, je le porterai, dit Gordon sans hésiter un instant.

Il n'arrivait pas à se souvenir de la dernière fois qu'il avait pris soin d'un enfant. Ce ne pouvait sûrement pas être si difficile.

— Et pour vous, madame Reid, reprit-il, nous ferons un hamac de fortune avec une grande couverture. Je pense parler au nom des hommes en disant qu'ils se disputeront l'honneur de vous porter jusqu'à la gare.

— Je ne suis pas un fardeau aussi léger que mon fils, protesta la femme.

Il remarqua sa stature délicate.

— Assez léger, madame.

Quelques minutes plus tard, Gordon s'était joint à la vingtaine de passagers qui s'étaient réunis entre les rails et avait trouvé deux hommes robustes pour porter madame Reid. Elle pouvait tolérer les inévitables secousses et semblait à l'aise, blottie dans sa couverture. Avec son sac de voyage et la sacoche de mademoiselle

Campbell dans une main, et un garçonnet endormi enveloppé dans sa petite couverture et niché sur son épaule,
Gordon attendait avec impatience le signal de départ du
chef de train.

Heureusement, le vent du nord devenait moins
piquant. La neige épaisse tombait au sol au lieu de leur
fouetter le visage. Bien qu'ils eussent environ cinq kilomètres à parcourir, s'ils suivaient les rails, ils ne risquaient
pas de se perdre.

Mademoiselle Campbell semblait craintive d'abandonner sa malle, mais monsieur McGregor l'assura qu'elle
serait livrée à sa porte dès que le train rentrerait à la gare
de Stirling.

— Votre famille habite à la place Albert, n'est-ce pas ?

— En effet, dit-elle — elle se mordit la lèvre —, mais
il serait préférable de laisser ma malle à la gare. J'ai l'intention de prendre le premier train qui partira pour
Édimbourg.

— Il est difficile de prévoir quand cela arrivera,
mademoiselle.

Le chef de train dut partir pour s'occuper d'autres
besoins, laissant Gordon réfléchir à ce qu'il venait tout
juste d'entendre. Il y a douze ans, les Campbell résidaient
dans la rue Spittal, dans une maison bien moins presti-
gieuse que les résidences de grès de la place Albert, située
juste au-delà du mur de la ville. Ils avaient sûrement assez
de place sous leur toit pour accueillir leur fille. Ne vou-
lait-elle pas passer Noël dans sa famille ?

De quoi vous sauvez-vous, mademoiselle Campbell ?
Gordon savait que cela ne le regardait pas. N'était-il pas
lui-même en fuite ?

Alors, cesse de fuir, Shaw. Gordon baissa les yeux vers le bout de ses bottes. Pouvait-il y arriver ? Cesser de fuir son passé et simplement l'affronter ? Admettre ce qu'il était et ce qu'il avait fait ?

Sois fort et tiens bon. Une voix plus douce cette fois-ci s'éleva en lui. *Ne crains pas et ne tremble pas.*

Gordon pouvait ignorer sa conscience, mais il ne pouvait se détourner du Tout-Puissant. Il leva la tête, serrant le petit Tam. *M'aiderez-vous, mon Dieu ? Me montrerez-vous ce que je dois faire, ce que je dois dire ?* Gordon n'avait pas peur des mots ; il gagnait sa vie grâce à eux. Mais des paroles d'excuse pour une erreur aussi tragique ne se trouvaient pas si facilement.

Car ton Dieu est avec toi dans toutes tes démarches. Oui, il puiserait du courage dans cette pensée. En particulier avec la longue marche qui l'attendait et la rencontre avec les Campbell qui suivrait. S'ils le laissaient franchir le seuil de leur porte, s'entend.

Finalement, les voyageurs commencèrent à marcher vers le nord. Par une douce nuit au clair de lune, c'eût été une promenade agréable. Mais pas sous ce ciel d'un noir d'encre. Marchant d'un pas laborieux, parlant d'une voix étouffée, les passagers avançaient lentement en rang de deux entre les rails d'acier, qui étaient à peine visibles sous la neige balayée par le vent. Une douzaine de lanternes étaient distribuées dans les rangs, mais la lumière qu'elles prodiguaient était blafarde, au mieux.

Gordon s'efforçait de marcher bien droit, n'oubliant jamais l'enfant qui lui était confié. Le garçon était plus léger qu'il ne s'y attendait, et son corps était chaud. Avec le bras de Tam enroulé autour de son cou, Gordon ne regrettait plus son écharpe. La mère de l'enfant était juste derrière, blottie dans son hamac improvisé.

Mademoiselle Campbell accorda son pas au sien — pour être près du garçon, se dit-il. Ou de sa sacoche. Elle était plus menue qu'il ne l'avait d'abord pensé. Le bord de son chapeau lui arrivait à peine à l'épaule.

— Veuillez m'excuser de ne pas vous offrir mon bras, mademoiselle Campbell.

Elle leva la tête et sourit timidement.

— Je pense que nous pouvons nous dispenser de ce genre de galanterie ce soir, dit-elle.

Dès qu'elle eut prononcé ces mots, elle perdit pied. Avec un cri de surprise, elle s'agrippa à sa manche et faillit l'attirer dans sa chute, les pentes raides de part et d'autre de la voie ferrée étant dangereusement proches.

Serrant le garçon fermement contre sa poitrine, Gordon laissa tomber leurs deux sacs et saisit l'autre main de Meg.

— Je vous tiens, mademoiselle !

Il planta sa botte contre le bord du rail, déterminé à les empêcher de basculer en bas du talus glacé.

Elle s'agrippa à son bras jusqu'à ce qu'elle eût retrouvé son équilibre, puis le laissa aller lentement. De la gratitude brillait dans ses yeux.

— C'est moi qui dois vous demander pardon maintenant, monsieur.

— Pas du tout, dit-il sans la quitter du regard.

C'est votre pardon que je dois obtenir, mademoiselle Campbell. Et celui de votre famille. Ce soir.

Chapitre 5

Personne ne connaît le poids du fardeau
d'un autre.

— George Herbert

Les joues de Meg rougissaient sous son écharpe. Comme cet homme la regardait audacieusement! Comme s'il la connaissait, comme si leurs chemins s'étaient déjà croisés avant cet après-midi-là. Il avait entendu monsieur McGregor s'adresser à elle, puis avait pris la liberté d'utiliser son nom sans lui révéler le sien. Un oubli? Ou était-ce intentionnel?

Elle aurait dû être offensée. Refuser de lui parler.

Mais il s'était montré si serviable pour madame Reid et avec les employés du chemin de fer, et il venait tout juste de lui épargner une vilaine chute. Comment penser du mal d'un tel gentleman? Bientôt, il se rendrait compte qu'il avait oublié de se présenter convenablement. Pourquoi l'embarrasser davantage en soulignant son omission? Elle était heureuse de l'avoir à son bras, car le trajet était périlleux, et Stirling était encore loin.

Étirant les bras un peu pour garder l'équilibre, Meg en profita pour l'observer pendant qu'ils avançaient péniblement dans la neige. Son habit de laine gris ne lui permettait pas de deviner sa profession, même si sa barbe bien taillée et ses bottes polies trahissaient chez lui l'homme distingué. Et séduisant, qui plus est, avec son long nez fin et son fort menton.

Il n'était pas un fonctionnaire, décréta-t-elle, ni un commis qui comptait les billets de banque, comme son père, qui travaillait déjà pour la Banque Royale avant sa naissance. Cet homme devait plutôt dépendre de son intellect pour gagner sa vie. Elle était certaine de cela. Elle le voyait dans ses yeux, à son haut front. Un avocat, peut-être? S'occupant de testaments, de propriétés, d'actes légaux et de choses semblables?

La curiosité de Meg l'emporta. Ce gentleman avait beau être un étranger, mais en pareilles circonstances, il était sans doute permis de parler un peu plus librement.

— Dites-moi, monsieur, êtes-vous de Stirling ou d'Édimbourg? demanda-t-elle, supposant que son foyer devait se trouver à l'une des extrémités de la ligne de chemin de fer.

Il ne répondit pas tout de suite.

— De Glasgow, dit-il enfin.

Ce n'était pas la réponse qu'elle attendait, pourtant une ville industrielle convenait à cet homme. Élancé. Énergique. Peut-être que si elle lui révélait quelque chose d'elle, il enchaînerait spontanément.

— Stirling est la ville de mon enfance, lui dit-elle, mais j'ai passé les six dernières années à Édimbourg.

Un élément d'information personnelle. *À votre tour, monsieur.*

Comme il n'avait pas saisi la balle au bond comme elle l'aurait souhaité, Meg le pressa, mettant de côté les conventions comme une vieille paire de gants.

— Êtes-vous à Édimbourg pour affaires ? Ou avez-vous de la famille ici, qui attend votre arrivée pour Noël ?

— Je...

Il ralentit pour la regarder.

— Je n'ai pas de famille à Édimbourg, reprit-il, mais c'est mon travail qui m'amène ici, oui.

Quand les autres passagers commencèrent à se rapprocher d'eux, il allongea légèrement le pas, et elle fit de même. Leurs épaules étaient presque en contact — une nécessité s'ils voulaient rester entre les rails. Cela leur permettait aussi de converser sans être entendus de tout le groupe. Elle sentait que c'était justement ce que cet homme voulait.

— Pour votre travail, dites-vous ? l'interrogea-t-elle.

Après un long silence, il précisa :

— J'écris dans le *Glasgow Herald*.

Meg dissimula sa surprise. Un reporter ? Elle ne l'aurait jamais deviné. Une profession respectable, du moins dans la plupart des milieux. Et le *Herald* était sûrement une publication de bonne tenue.

— C'est pourquoi j'étais à Stirling aujourd'hui, expliqua-t-il, pour faire une entrevue avec le nouveau rédacteur en chef du *British Messenger*.

Meg hocha la tête avec approbation. Les Drummond, l'une des familles les plus estimées de Stirling, publiaient le magazine mensuel. Elle se représenta l'édifice de trois

étages sur le chemin Dumbarton avec ses impression-
nantes rangées de fenêtres.

— Vous étiez à deux pas de la maison de mes parents.

— Sur la place Albert, dit-il, puis il se mit à bégayer.
Vous avez dit… Enfin, je pense que monsieur McGregor a
mentionné votre adresse.

Oui, et mon nom aussi. Rien ne lui échappait, à ce grand
journaliste de Glasgow.

Meg regarda alentour, essayant de graver ce qu'elle
pouvait du panorama dans sa mémoire. Comme leur
monde glacé était devenu paisible et immobile! La neige
tombait dans un silence absolu et l'air rendait un son
creux, comme s'ils s'étaient trouvés au milieu d'une
grande cathédrale dont les voûtes se seraient élevées
jusqu'au ciel.

— La veille de Noël, dit-elle en soupirant, sa chaude
haleine visible dans la nuit. Je vais m'ennuyer de toutes
les bougies dans les fenêtres d'Édimbourg.

— Heureusement, nous avons de la lumière, dit-il en
hochant doucement la tête en direction des lanternes portées par les travailleurs et les bourgeois sans distinction.
Quand nous aurons atteint Stirling, j'imagine que nous
verrons quantité de chandelles allumées autour de King's
Park.

Meg perçut la froideur du ton de sa voix à la mention
de son quartier. Se faisait-il une moins bonne opinion de
sa famille, sachant qu'elle vivait dans une partie cossue
de Stirling? Elle ne l'approuvait pas non plus entièrement,
et pas seulement parce que leur déménagement était
l'idée d'Alan. Son père était un employé de banque qui
avait gravi quelques échelons — il jouissait d'une

situation stable, mais qui était loin d'être lucrative. Acquérir ne serait-ce que la plus modeste maison de King's Park lui avait pris toutes ses économies et jusqu'au dernier penny de l'héritage de sa mère.

J'aurais pu les aider si j'avais vendu la maison de tante Jean.

Elle réprima cette pensée agaçante.

— Notre maison ne possède que deux fenêtres donnant sur la rue, lui dit-elle, mais les villas du square Victoria seront illuminées par une multitude de chandelles.

Il se contenta de hocher la tête, mais elle eut le temps d'apercevoir une lueur dans ses yeux bruns, comme s'il s'était fait une première opinion qu'il rejetait en faveur d'une autre.

— J'imagine que votre famille sera surprise de vous voir, dit-il.

Sa gorge se serra. «Surprise» n'était pas le mot qui lui venait à l'esprit. Alan se rengorgerait quand il verrait qu'elle avait été contrainte de rentrer. Ses parents seraient soulagés, quoique sûrement encore bouleversés par son départ.

— Je doute qu'ils m'attendent, admit-elle.

Il ne dit rien pendant un moment, comme s'il écoutait ses bottes écraser la neige.

— Votre famille sera-t-elle à la maison ce soir?

Une question singulière, pensa Meg. Se préoccupait-il de savoir si elle rentrait dans une maison vide?

— Oui, ils seront tous là, dit-elle, imaginant les Campbell à leur table oblongue — son père au bout, sa mère en face de lui, et Alan assis de son côté habituel, avec un coussin additionnel pour le soutenir.

Même s'ils disposaient d'un chandelier au gaz au plafond, des bougies à la cire d'abeille brilleraient sur le
manteau de la cheminée.

— Notre famille dîne à vingt heures. Ma mère s'enor-
gueillit de servir un succulent dîner la veille de Noël, lui
dit Meg, alors que des souvenirs émouvants de fêtes passées se bousculaient devant ses yeux. Du rôti de porc
servi avec des pommes. Des carottes, des pommes de
terre et des navets. Du pain frais enroulé en épaisses
tresses et regorgeant de beurre...

Sa voix s'éteignit peu à peu dans un silence mélanco-
lique. Sa place à la table serait déserte ce soir.

— Pas étonnant que vous rentriez à la maison chaque
Noël, lui dit son compagnon de marche.

— Mais ce n'est *pas* le cas, dit-elle, laissant échapper
les mots avant d'avoir pu les retenir. Enfin, pas depuis des
années.

En était-elle fière? Ou honteuse?

— Je suis installée à Édimbourg maintenant,
expliqua-t-elle. Mon travail est là-bas. Mes amis les plus
chers y vivent. Mais ma famille...

Elle dut lutter pour retrouver son aplomb.

— Ma famille est...

— Je comprends, mademoiselle Campbell. Plus que
vous ne le croyez, dit-il, son épaule effleurant la sienne
alors qu'ils avançaient silencieusement de concert.
Dites-moi, reprit-il, pourquoi avez-vous cessé d'aller chez
vous?

Le pouvait-elle? La tentation était irrésistible. De
parler à cœur ouvert sans craindre de blesser quiconque.
De se confier à un étranger qui ne savait rien de sa famille

et qui quitterait la ville le matin venu, emportant ses secrets avec lui.

Meg respira longuement et profondément, puis fixa un point devant elle, persuadée que si elle regardait ses chauds yeux noisette, elle se sentirait vulnérable et s'arrêterait tout de suite. Peu importe ce qu'elle trouverait le courage de lui dire, ce serait plus facile si elle ne voyait rien d'autre que la neige tombant paisiblement et le dos de deux passagers, maintenant à plusieurs mètres devant eux.

Elle frissonna, soudain plus consciente du froid, et tira fermement son chapeau sur sa tête.

— J'ai un frère qui s'appelle Alan, dit-elle, car cela lui semblait le bon endroit pour commencer : n'était-il pas au cœur du problème ? J'avais quatre ans quand il est venu au monde.

Tout en s'efforçant de trouver les mots justes, elle se demanda si cet homme comprendrait qu'un seul événement puisse bouleverser le destin d'une famille.

Pendant la majeure partie de sa jeunesse, Meg avait été la favorite de son père, bien qu'elle ait fait de grands efforts pour ne pas paraître le remarquer. Mais cela n'avait pas échappé à Alan. En grandissant, son amertume avait augmenté aussi. Puis les choses avaient basculé cet après-midi-là de janvier.

À la fin, Meg dit simplement :

— Quand mon frère avait dix ans, il a été gravement blessé.

L'homme fronça les sourcils.

— Que s'est-il passé ?

— Un accident. Mes parents n'y étaient pas, mais moi, j'étais là.

Alors que Meg décrivait la scène sur l'étang glacé, son compagnon de marche se pencha vers elle, singulièrement attentif.

— Un jeune homme ivre s'est mis à faire tournoyer une pierre de curling, expliqua-t-elle. Quand elle lui échappa de la main, la pierre a percuté mon frère dans le dos.

Elle pouvait encore se rappeler l'affreux bruit mat du projectile retombant sur la glace.

Après un moment, il demanda :

— Connaissez-vous le nom de cet homme ?

— Gordon Shaw, dit-elle sans hésitation. Je n'avais que quatorze ans, alors je ne me souviens que de très peu de choses à son sujet. Mais je ne pourrai jamais oublier le nom de celui qui a ruiné la vie de mon frère.

Sa réponse fut lente à venir.

— Je suis... désolé, mademoiselle Campbell.

Meg secoua la tête, car elle savait la vérité.

— C'était aussi ma faute, avoua-t-elle.

Comme elle détestait l'admettre !

— J'étais l'aînée, dit-elle, et je devais surveiller Alan. Si j'avais été plus attentive... Si je l'avais empêché de s'aventurer sur la glace...

Elle pressa ses lèvres ensemble, essayant d'endiguer le flot de douloureux souvenirs. La tête d'Alan reposant sur ses genoux, des larmes inondant les joues du garçonnet. La douleur de son père. « Comment as-tu pu laisser cela arriver ? » L'indicible chagrin de sa mère. « Mon garçon, mon pauvre petit garçon. » Meg s'était endormie en pleurant cette nuit-là, et plusieurs autres par la suite. Condamnant l'étranger pour son insouciance. S'en prenant à elle-même...

— Cette blessure qu'a subie votre frère, s'enquit le journaliste, était-elle sérieuse?

— Au début, Alan ne pouvait se lever. Ne pouvait bouger, en fait. Un voisin l'a ramené dans son traîneau à la maison. Le docteur Bayne a été mandé immédiatement et il a annoncé que mon frère demeurerait paralysé.

Pour un étranger, remarqua-t-elle, il paraissait bien bouleversé.

— Votre frère est alité, alors, dit-il.

— Pas entièrement. Avec de l'aide, il arrive à se lever, mais il ne peut marcher tout seul.

Meg était réticente à en dire plus, de crainte de paraître peu charitable. Pourtant, avec le passage des ans, Alan avait su tirer le meilleur parti possible de son malheur, recherchant la sympathie de tous. Sa mère était à ses ordres et à son service. Son père le couvrait de cadeaux et n'exigeait rien de lui. Son frère ne faisait rien d'utile, se contentant de s'asseoir dans son fauteuil favori et de mener ses parents à la baguette...

Pardonne-moi, Alan. Son jugement, si juste fût-il, était sans pitié. Bien qu'il ait été encore plus difficile à supporter que d'habitude aujourd'hui, il méritait sa compassion.

— Bien sûr, je suis triste pour mon frère, dit-elle, et je me sens coupable aussi. De nous deux, c'est moi qui suis en parfaite santé.

Son compagnon hocha la tête comme s'il essayait de comprendre la portée de ce qu'elle disait.

— Même si l'on n'est pas soi-même la personne blessée, ce peut être un fardeau aussi, fit-il remarquer.

— Oui, ce peut l'être, dit Meg, heureuse d'avoir trouvé quelqu'un capable de la comprendre. Malheureusement, Alan est devenu de plus en plus difficile à vivre avec le temps. Quand j'ai eu vingt ans, j'ai emménagé à Édimbourg avec ma tante Jean. En toute honnêteté, je ne pouvais fuir mon frère assez vite.

Voilà. Elle avait mis l'affreuse vérité en mots.

Comme son compagnon ne répondit pas, Meg éprouva un moment d'abattement. Il devait sûrement se faire une piètre opinion d'elle pour lui avoir parlé si franchement. S'il n'avait ni sœur ni frère, il ne pouvait pas comprendre comment c'était entre Alan et elle. Une certaine mesure d'amour, oui, mais sans loyauté réciproque ni réelle affection. Du moins, pas depuis son accident.

Elle osa la question.

— Avez-vous des frères et des sœurs ?

— Je n'ai aucune famille, dit-il d'une voix dépourvue d'émotion. Mes parents ont déménagé dans le nord de l'Angleterre et ont succombé à une pneumonie par un printemps froid et humide.

Meg se tourna vers lui.

— Et moi qui m'épanchais sur mes malheurs alors que vous avez souffert bien plus.

— Vous n'avez pas à vous excuser, mademoiselle Campbell. Pas à moi.

Elle leva les yeux vers lui et vit un puits de tristesse dans son regard, ce qui la toucha profondément.

— Nous avons commis un impair sérieux, vous et moi, dit-elle en déposant une main sur son avant-bras. Il est temps de faire connaissance convenablement. Je suis mademoiselle Margaret Campbell. Puis-je vous demander votre nom, monsieur ?

— Mon nom ?

Le regard de l'inconnu n'était plus dirigé vers le sien.

Chapitre 6

J'observai son visage pour voir comment
Elle recevait l'horrible nouvelle.

— EMILY DICKINSON

G ordon leva la tête, s'efforçant de la regarder.

— Je me nomme Gordon…

Son nom de famille refusa de franchir son gosier. *Dis-le-lui. Elle mérite de le savoir.*

— Monsieur Gordon…

— Gordon? répéta-t-elle, et un léger sourire éclaira son visage. Vraiment? J'ai connu une famille Gordon autrefois. Ils vivaient près de notre ancienne maison dans la rue Spittal.

Elle leva la tête pour le regarder plus attentivement.

— Ils avaient tous les cheveux noirs, sans exception, fit-elle observer. Ce ne sont pas des parents à vous, je suppose.

— Non… non, je suis…

Il hésita une seconde de trop.

Margaret Campbell regardait devant elle maintenant.

— Pardonnez-moi, monsieur Gordon. J'aurais dû vous demander votre nom de famille bien avant cela. C'est une situation un peu délicate, j'en ai peur.

Délicate ? Les membres de Gordon devinrent si flasques qu'il craignit d'échapper Tam. *Monsieur Gordon.* Comment une telle chose avait-elle pu se produire ? *Une question futile, Shaw.* Il l'avait laissée faire. Il l'avait induite à croire qu'il était quelqu'un d'autre. Un étranger digne d'intérêt, et non l'être que toute sa famille méprisait.

Fais quelque chose. Dis quelque chose.

— Pardonnez-moi, mais...

Une voix de femme se fit entendre.

— Mademoiselle Campbell, si je peux me permettre ?

Quand elle se retourna pour répondre, Gordon n'eut d'autre choix que de l'imiter.

Les hommes portant madame Reid peinaient. Ils avaient le visage rouge, haletaient fortement, et leur patiente dans son hamac traînait presque sur la neige.

Madame Reid les regardait de sa précaire position.

— Je crains que mes brancardiers n'aient besoin d'un répit, dit-elle.

Quand les hommes protestèrent, elle leur offrit un léger sourire, mais ne se laissa pas dissuader. Elle regarda plutôt tendrement son fils, puis Gordon.

— Monsieur, dit madame Reid, pourriez-vous trouver deux autres volontaires pour les remplacer ? Je sais que c'est beaucoup demander...

— Pas du tout, madame.

Il partit aussitôt, ayant besoin de temps pour imaginer un moyen de corriger ce qu'il avait fait. Ou plus précisément, ce qu'il n'avait *pas* fait.

La meilleure solution était la plus simple. Dès qu'il serait seul avec Margaret Campbell, il lui dirait la vérité : « Mon nom est Gordon Shaw ». Il avait dit ces mots tous les jours de sa vie. Il pouvait sûrement les redire maintenant que c'était si important.

Elle lui avait révélé son nom, n'est-ce pas ? *Margaret* Bien qu'il ne fût pas libre d'employer son prénom, il préférait penser à elle comme ça. *Margaret.* Un nom traditionnel. Qui lui convenait bien.

Ton nom aussi te convient. Shaw. Dis-le-lui.

Le visage rouge, Gordon avança d'un pas pesant entre les rails une trentaine de mètres, avant de trouver deux nouvelles recrues disposées à aider. Il les ramena vers madame Reid, essayant de ne pas trop faire tressauter l'enfant en marchant. Quand il l'eut rejointe, le garçon était tout à fait réveillé et réclamait sa mère à chaudes larmes.

Bien réussi, Shaw. Il semblait qu'il ne pouvait pas même veiller sur un petit enfant sans tout gâcher. Gordon baissa doucement le garçon vers sa mère de sorte qu'elle pût le consoler face à face.

— Je ne peux te tenir maintenant, mon chéri, lui dit-elle, prenant ses joues rebondies entre ses paumes. Mais tu es entre bonnes mains avec monsieur… ah…

Comme il ne répondait pas assez rapidement, Margaret intervint.

— Son nom est Gordon.

Madame Reid leva vers lui un regard chaleureux.

— Merci encore, monsieur Gordon.

Il sourit, les dents serrées. *Shaw. Mon nom est Shaw.* Il ne pouvait le dire à présent, alors qu'ils étaient entourés par une douzaine de personnes. Margaret serait embarrassée, croyant que l'erreur était la sienne, et les autres seraient sûrement confus. Quand le groupe se disperserait et que tous seraient hors de portée de voix, il rectifierait les choses.

Mais Gordon avait compté sans le petit Tam Reid.

Bien reposé après sa sieste, l'enfant frétillait entre les bras de Gordon, puis il essayait de saisir des flocons de neige entre ses petites moufles, sans cesser de babiller.

— Qu'il est mignon! s'exclama Margaret en lui souriant, manifestement enchantée.

Entre-temps, Gordon essayait de garder sa casquette hors de la portée du bambin, qui n'aurait pas manqué de la lancer dans la nuit. Quelques minutes plus tard, quand Tam faillit bondir dans un amas de neige, Gordon conclut que l'enfant avait besoin de se dégourdir les jambes. Il le déposa sur le sol, puis utilisa les sacs qu'il tenait dans chaque main pour le guider alors qu'ils avançaient entre les rails.

Sa tentative ne fut pas entièrement couronnée de succès.

Après que le garçon eut trébuché à quelques reprises, dont une fois tête première dans la neige, Margaret intervint enfin.

— Monsieur Gordon, dit-elle en se saisissant de Tam, cela ne fonctionnera jamais.

Elle sécha ses pleurs et eut tôt fait de ramener le sourire sur son visage.

— Mes élèves ont quelques années de plus, dit-elle, mais je crois pouvoir venir à bout d'un bambin. N'est-ce pas, Tam ?

Gordon grommela intérieurement. Si charmant que fût le garçon, sa présence rendait toute conversation sérieuse ardue, sinon impossible. Mais ce n'était qu'un faux-fuyant. La vérité ne pouvait attendre un moment de plus.

Il accorda son pas au sien, marchant aussi près d'elle qu'il osa le faire.

— Mademoiselle Campbell, je crois que je n'ai pas été entièrement franc avec vous.

— Oh ?

Elle posa sur lui un regard rempli d'attentes. Puis une église au loin fit entendre sa cloche, et elle compta les heures.

— Il n'est que vingt et une heures ? demanda-t-elle. Je croyais qu'il serait sûrement minuit.

Gordon se souciait peu de l'heure. Ce qui le préoccupait, c'était qu'ils étaient à mi-chemin de Stirling et que le temps fuyait pour lui. *Vite, vite, viens à mon aide.* Une courte prière, une prière de désespoir.

Il agrippa ses bagages, s'armant de courage.

— Moi aussi, je suis resté loin de Stirling. Depuis bien plus longtemps que vous, mademoiselle Campbell, et pour une bonne raison.

Ses yeux s'agrandirent.

— Est-ce que vous venez de Stirling aussi ?

— J'y ai habité jusqu'à l'âge de dix-sept ans, dit-il, avant de s'éclaircir la gorge. Puis, j'ai… blessé quelqu'un sans le vouloir. Un jeune garçon de dix ans.

Elle inspira brièvement.

— Comme mon frère.

— Tout juste comme votre frère, mademoiselle Campbell.

Il n'y avait pas de retour en arrière. Gordon ralentit et s'arrêta, puis se tourna vers elle, voulant voir l'expression de son visage quand la vérité serait dite, et recevoir le châtiment qu'il méritait tant.

— C'était votre frère, Alan, que j'ai blessé. Sur l'étang de curling à King's Park, il y a douze ans.

Elle fronça les sourcils.

— Mais votre nom est...

— Gordon Shaw.

La douleur qu'il vit se graver sur son visage était pire que tout ce qu'il avait pu imaginer. Presque insupportable à contempler. Le menton de Meg tremblait, et ses yeux bleus luisaient de larmes alors qu'elle essayait de parler mais en était incapable.

— Oui, mademoiselle Campbell. Comme vous l'avez dit si justement, je suis l'homme qui a ruiné la vie de votre frère.

— Et la mienne, murmura-t-elle.

Chapitre 7

La déception marche sur les traces de l'espoir.

— LETITIA ELIZABETH LANDON

— Pourquoi ne me l'avez-vous pas dit avant? *Pourquoi?*

Meg se détourna. Elle ne voulait pas de réponse. Pas de la part de Gordon Shaw.

— Mademoiselle Campbell, puis-je vous demander…

— Vous ne le pouvez pas.

Meg enfouit son visage dans le doux bonnet de laine de Tam. Dire qu'elle avait ouvert son cœur à cet homme! Elle s'était confiée à lui. Elle lui avait révélé comment la blessure de son frère avait touché sa famille, l'avait atteinte, elle. *Cet* homme, entre tous les hommes, l'avait laissée parler tout en taisant son identité.

Elle leva la tête et partit devant d'un pas plus résolu que gracieux. Elle n'aurait pas voulu trébucher, pas avec Tam dans les bras. Mais elle ne pouvait se résoudre à rester pour entendre Gordon Shaw justifier sa duplicité.

Pourquoi n'avait-elle pas tout compris et deviné son nom avant qu'il ne le lui dise? *Parce que je ne le voulais pas vraiment. Parce que je trouvais sa compagnie agréable.* Elle s'arrêta alors que la vérité recolorait ses joues.

Peu après, Gordon Shaw arriva à sa hauteur.

— Je suis heureux que vous ayez attendu...

— Je n'ai rien fait de tel, dit Meg en faisant passer Tam sur son autre bras.

La file des passagers s'étirait maintenant en amont et en aval de la voie ferrée. Qu'à cela ne tienne, ils auraient droit à un bel éclat de voix, si monsieur Shaw ne la laissait pas seule.

Si elle l'avait observé de plus près et écouté plus attentivement, elle l'aurait peut-être reconnu. En vérité, il était imberbe à cette époque. Mais ses cheveux étaient de la même nuance brillante qui ne s'oublie pas facilement. Elle aurait dû le reconnaître. Elle aurait dû *savoir.*

— Mademoiselle Campbell, je ne m'attendais pas à...

— Alors, vous ne serez pas déçu.

Meg haïssait le ton hargneux de sa voix, mais elle n'y pouvait rien. *Gordon Shaw.* Comment osait-il essayer de gagner son affection ! Pendant des années, sa famille n'avait jamais prononcé son nom qu'avec mépris. Pensait-il qu'il pourrait réparer leurs cœurs brisés avec de simples excuses ? Elle était heureuse qu'il fît noir, qu'il fît froid, qu'il y eût de la neige. Monsieur Shaw avait beau marcher près d'elle, elle pouvait feindre qu'il n'était pas là.

Malheureusement, il continuait de parler.

— La condition de votre frère est entièrement ma faute, mademoiselle Campbell. Chassez de votre esprit l'idée que vous pourriez être responsable.

Elle le regarda d'un air furieux.

— Comme vous vous êtes défait de votre pierre de curling ? En la lançant au-dessus de la patinoire sans vous soucier de l'endroit où elle atterrirait ?

Il la regarda comme s'il venait d'être giflé.

— Mademoiselle Campbell, je sais que...

— Et *je* sais que mon frère était innocent et que vous ne l'étiez pas. *Vous ne l'êtes pas*, se corrigea-t-elle. Je suppose que vous m'avez reconnue à bord du train ?

— Oui, dit-il, et il ne broncha pas ni ne détourna le regard. Avant même de quitter la gare de Stirling, j'avais compris que vous étiez la sœur d'Alan.

— Et pourtant vous n'avez rien dit ?

— À ma grande honte, je ne l'ai pas fait. Pas même quand vous avez cru par erreur que mon nom de famille était Gordon.

Bien que ses bras fussent chargés de bagages, il les tendit dans un geste d'abdication.

— Que ce soit par peur ou par lâcheté, dit-il, je vous ai fait du tort, mademoiselle Campbell. Pouvez-vous me pardonner ?

— Vous *pardonner* ? lança-t-elle, et l'expression sincère du visage de Gordon ne faisait qu'exacerber son irritation. Je ne peux penser à une seule raison...

Meg réprima le reste, honteuse de sa virulence. Elle pouvait au moins rester polie, même si elle choisissait de ne pas lui pardonner.

Est-ce que le pardon est une affaire de choix ? Elle fronça les sourcils, irritée par la question.

— En ce moment, ma seule préoccupation est de rentrer à la maison, dit-elle.

Quand elle s'éloigna d'un pas décidé, Meg sentit un courant d'air froid sur sa nuque, et elle comprit que le petit Tam avait défait son écharpe.

— Allons, garçon, que fais-tu là ? le gronda-t-elle légèrement, remettant l'écharpe de laine en place.

Elle jeta un coup d'œil vers madame Reid, qui était loin derrière eux maintenant, puis serra le garçon contre son cœur, ignorant ostensiblement Gordon Shaw.

— Ta maman et toi serez en sécurité dans moins d'une heure, dit-elle à l'enfant.

La chute de neige avait diminué d'intensité. Pas très loin devant eux, les lumières de Stirling scintillaient comme des étoiles, depuis le château jusqu'au bief du moulin. En dépit de la féérie du spectacle, ses mains restaient engourdies, ses bottes de marche étaient complètement mouillées, et elle ne sentait plus ses orteils.

La voix de Gordon était basse, mais plus assurée qu'elle ne s'y attendait.

— Mademoiselle Campbell, puis-je vous demander ce que vous comptez faire quand nous arriverons à Stirling ?

Elle répondit sans détour.

— J'irai frapper à la porte de mes parents en souhaitant qu'ils aient gardé une place dans leur cœur pour leur fille écervelée.

— Je pourrais vous raccompagner chez vous…

— Sûrement pas ! dit Meg en le regardant, horrifiée.

— Mais j'aimerais beaucoup faire connaissance avec eux, expliqua-t-il. Pour m'excuser…

— Non ! s'écria brusquement Meg.

Elle couvrit les oreilles de Tam et le pressa contre elle, afin de ne pas l'effrayer avec ses éclats de voix.

— Il est trop tard, monsieur Shaw, reprit-elle. Vous ne pouvez plus réparer le mal que vous avez fait.

— Néanmoins, je veux essayer.

— Je vous en prie, c'est hors de question, lui dit Meg. Je ne puis imaginer la réaction de mon frère, si vous vous présentez sur le seuil de notre porte. *Ni ce qu'Alan me dira à moi.* Il est simplement impossible que vous veniez chez nous, monsieur Shaw, pour ressusciter de vieux souvenirs qu'il vaut mieux garder enterrés. Noël est une fête où la joie doit régner, n'est-ce pas ?

Quand il réduisit un peu le pas, Meg sentit la tension en elle commencer à s'apaiser. Peut-être avait-il enfin compris.

Elle continua d'avancer, fixant ses pensées sur le foyer allumé qui l'attendait, le repas chaud et un lit propre. Malgré cela, l'expression contrite du visage de Gordon restait gravée dans son esprit.

Puis les lumières de la gare de Stirling apparurent à l'horizon. Des cris de joie se propagèrent le long de la voie ferrée.

— Nous sommes presque arrivés, nous sommes presque arrivés, murmura Meg à l'oreille de Tam.

Elle entendit les retardataires derrière elle qui faisaient un effort pour les rattraper pendant qu'elle-même marchait d'un pas plus léger, plus vif.

Puis elle vit les lanternes, les visages et les bras ouverts pour les accueillir.

— Regarde, Tam ! dit-elle avec animation, faisant pivoter l'enfant de sorte qu'il pût voir. Regarde tous ces gens qui viennent à notre rencontre.

Le garçon poussa des cris perçants, battit des mains et agita les bras, alors qu'un groupe de personnes approchaient joyeusement, tenant bien haut leurs lanternes, dont la lumière se réverbérait sur la neige. Des épouses accueillaient leurs maris avec des couvertures chaudes et d'émouvantes effusions tandis que les employés de la gare dirigeaient les arrivants vers le thé chaud près du guichet.

Le chef de gare, resplendissant dans son uniforme noir avec ses boutons de laiton rutilants, guida Meg dans les marches étroites jusqu'au quai bondé, brillamment éclairé et débarrassé de sa neige.

— Toutes nos excuses, madame, dit-il en regardant Tam. Vous et votre fils avez passé une nuit mouvementée.

— Oh, ce beau garçon appartient à madame Reid, dit Meg.

Elle fit un pas de côté afin de laisser passer les deux hommes qui soulevaient prudemment la mère sur le quai, sous l'étroite surveillance du docteur Johnstone.

Une dame plus âgée se précipita vers elle et s'écria d'une voix bouleversée :

— Emma, ma chère fille ! Mais que t'est-il arrivé ?

Ayant le même teint, exhibant les mêmes expressions faciales, elle ne pouvait être que la mère de madame Reid.

Le docteur Johnstone, par souci de discrétion, murmura son diagnostic à l'oreille de la dame. Elle écouta les sourcils froncés, puis hocha la tête, paraissant soulagée.

— Et voici mon petit Tam, qui passera Noël avec sa grand-mère finalement.

Elle s'empara du garçonnet sans cérémonie en remerciant Meg au passage, puis précéda son petit groupe vers une voiture, qui attendait au-delà des portes de la gare.

Meg regarda le garçon disparaître de sa vue et ressentit un vide. Reverrait-elle Tam un jour ? Emma Reid avait l'intention de surprendre son époux à Édimbourg. Elle était plutôt rentrée à Stirling avec une vilaine entorse à la jambe et un petit garçon exténué.

— Monsieur Reid viendra nous voir à la maison à Hogmanay[2], dit-elle à Meg. Nous célébrerons quand même très bientôt.

Pendant un court moment, Meg essaya d'imaginer ce que ce serait d'avoir un être aimé l'attendant au bout de la voie. Au fil des ans, elle s'était habituée à descendre à la gare de la rue des Princes sans personne pour l'accueillir, puis à déverrouiller la porte de sa maison vide et à faire le thé pour une seule personne. Comme cela devait être merveilleux d'être attendue à la maison !

Quand elle se tourna pour voir comment les autres passagers s'en sortaient, Meg aperçut Gordon Shaw debout à quelques pas derrière elle. Ses vêtements étaient froissés, ses cheveux dépeignés, mais l'espoir continuait de briller dans ses yeux bruns.

S'il se fût agi de monsieur Gordon, ce gentleman qu'elle avait d'abord rencontré, elle lui aurait tendu la main pour lui souhaiter joyeux Noël, avec l'espoir d'avoir de ses nouvelles pendant l'année. Ou de recevoir une lettre de sa part. Ou de fixer un rendez-vous pour prendre le thé à sa prochaine visite à Édimbourg.

Mais c'était Gordon Shaw, l'homme qui avait gagné sa confiance sous de faux motifs. Elle ne pourrait le revoir. Pas cette année. Ni aucune autre.

---

2. N.d.T. : Le jour de l'An.

Chapitre 8

Ce qui est passé est le prologue.

— WILLIAM SHAKESPEARE

Meg aurait voulu se détourner, s'éloigner de lui rapidement, mais découvrit qu'elle en était incapable. Pas sans dire au revoir.

Gordon retira sa casquette en tweed pour secouer la neige, puis la remit lentement, sans la quitter des yeux.

— Mademoiselle Campbell, je continuerai de dire que je suis désolé jusqu'à ce que vous me croyiez.

— Je vous crois, monsieur Shaw. Mais je ne suis pas certaine d'être capable de vous pardonner.

Il baissa le menton pour accuser la rebuffade.

— Votre franchise vous honore.

Et la vôtre me désarme.

Meg ne voyait pas l'utilité de le châtier davantage. Leurs chemins allaient se séparer maintenant — elle s'en retournerait chez ses parents en voiture, s'il était possible d'en trouver une, et lui irait là où les journalistes logent habituellement en voyage.

— Au revoir, dit Meg doucement, puis elle se détourna de lui avant qu'il ne puisse articuler un mot d'adieu.

C'était mieux comme ça.

Tenant sa jupe mouillée d'une main, Meg se dirigea vers le guichet, attirée par la promesse d'une tasse de thé. Elle était glacée jusqu'aux os et avait besoin de reprendre quelques forces, car cette nuit-là était loin d'être terminée. Elle devait encore affronter son frère. Et s'excuser auprès de ses parents.

Le thé d'abord, puis un attelage et, une fois arrivée à la maison, des vêtements secs. Malheureusement, ses affaires étaient dans une malle déposée dans un train enseveli sous la neige à cinq kilomètres au sud. Y avait-il quelque chose à la maison qu'elle pût porter, une robe qu'elle aurait laissée derrière ? Elle serait peut-être démodée, mais la seule chose qui lui importait, c'était qu'elle fût sèche.

De l'autre côté du quai grouillant de badauds, une voix familière cria son nom.

Meg leva la tête. *Maman ?*

Elle pivota et vit sa mère et son père qui se frayaient un passage dans la foule. Était-il possible qu'ils soient venus pour l'accueillir, alors qu'elle était partie à la hâte, sans une seule parole gentille adressée ni à l'un ni à l'autre ? Elle leva la main, afin de leur cacher les larmes qui mouillaient ses yeux.

Sa mère, Lorna Campbell, blonde comme elle, semblait spécialement de bonne humeur dans son manteau de laine rouge. Si elle hébergeait quelque rancœur, elle était bien cachée. Ses yeux brillaient de joie et son sourire était franc alors qu'elle se précipitait vers Meg, les mains grandes ouvertes.

— Margaret! s'écria la mère, qui dut se hisser sur la pointe des pieds pour embrasser les joues de sa fille. Comme nous sommes soulagés de te voir! N'est-ce pas, monsieur Campbell?

Comme son impassible mari se contenta de hocher la tête, elle enchaîna avec entrain.

— Tu te souviens de madame Corr, de la rue Spittal? Eh bien! Elle nous a informés du terrible accident du train trois vingt-six. Terrifiant. Une montagne de neige, disait-elle. Plus haute que la locomotive, selon elle. Son mari travaille pour la compagnie de chemin de fer, tu sais.

— Oui, maman, dit Meg en serrant les mains de sa mère, si heureuse de la revoir. Je sais. Et je suis désolée d'être partie…

— Oh, tut-tut. Nous n'avons pas à parler de ça maintenant, l'interrompit madame Campbell, manifestement plus intéressée par le drame de la soirée. Dès que l'aiguilleur est apparu à la gare de Stirling, continua-t-elle, la nouvelle s'est répandue de la haute ville jusqu'à la rue du Port. Tu peux t'imaginer l'émotion que cela a causée! Plus de vingt passagers coincés à la campagne. Puisque le porteur était passé plus tôt pour prendre ta malle, nous étions sûrs que tu étais parmi eux. Comme tu peux voir, la gare grouille de curieux, ajouta-t-elle en baissant la voix pour regarder alentour. Mais c'est pour toi que nous sommes venus, chère Margaret. Juste pour toi.

Meg glissa un regard vers son père, toujours vêtu en banquier, incluant le col cassé blanc et le haut-de-forme.

Êtes-vous aussi venu pour moi, père ? Son visage était dénué d'expression, comme si ses traits avaient été effacés par un chiffon. C'était son image publique, l'homme de la Banque Royale. Il l'aimait toujours ; elle en était certaine. Mais les nombreux besoins d'Alan laissaient peu d'occasions à son père de montrer son affection.

Avant qu'ils aient pu se diriger vers la sortie, le chef de gare réapparut, faisant sa tournée au nom de la Caledonian Railway.

— Oh, mais voilà Robert Campbell ! s'exclama l'aîné des deux hommes, dont le sourire était presque entièrement dissimulé par sa moustache fournie. Je vois que votre fille vous est revenue saine et sauve.

— Et trempée et gelée, dit son père d'un ton égal. Cet accident n'aurait-il pas pu être évité ?

— « Quand Il dit à la neige : Tombe sur la terre ! » dit le chef de gare en écartant les mains en signe d'impuissance. De toute évidence, le Tout-Puissant voulait de la neige la veille de Noël.

Personne n'aurait pu se formaliser d'une telle affirmation. Pas même Alan.

— Venez, mesdames, dit le père. Notre voiture attend et notre dîner aussi.

Meg regarda l'horloge de la gare.

— Mais il est presque vingt-deux heures. N'avez-vous pas…

— Non, ma chère, dit sa mère en glissant une main au creux de son coude. Nous attendions ton retour. Et je pense que tu trouveras ton frère impatient de te revoir.

Afin de passer à table ? Meg chassa tout de suite cette pensée mesquine. Peut-être qu'Alan regrettait leur échange précédent et souhaitait une réconciliation, même s'il lui répugnait d'accrocher ses espoirs à un fil aussi ténu.

— Mademoiselle Campbell?

C'était Gordon Shaw, qui se trouvait à un pas derrière elle.

— Je vous demande pardon, mais je crois que vous voudrez récupérer ceci.

Meg virevolta sur elle-même et vit qu'il avait toujours sa sacoche.

— Merci, murmura-t-elle en reprenant le grand sac de cuir de la main de monsieur Shaw.

Bien que ses vêtements fussent encore très froissés, il avait pu, en quelques minutes, se peigner, rectifier sa cravate et se rendre somme toute très présentable.

Oh non. Les mains de Meg, déjà froides dans ses gants, se glacèrent. *Était-ce cela qu'il attendait? Que je le présente à mes parents afin qu'il puisse offrir ses excuses?*

Elle se tourna et vit son père et sa mère qui le regardaient, attendant d'être présentés. *Bien sûr.* Ses parents n'avaient jamais rencontré Gordon Shaw et ne le connaissaient que de réputation : un jeune écervelé à la tignasse rousse avec des jambes en échalas. L'homme devant eux n'était ni ivrogne ni dégingandé, et il avait rendu à leur fille un service considérable pour lequel il méritait d'être traité avec courtoisie.

— Monsieur Robert Campbell, dit finalement son père en s'inclinant légèrement. Et voici ma femme, madame Campbell. Il semble que vous avez déjà fait connaissance avec notre fille.

Elle implora Gordon du regard. *Ne faites pas cela. Ne leur dites pas qui vous êtes.*

— En effet, nous nous sommes rencontrés à bord du train, dit-il, puis il salua son père à son tour. Mon nom est...

— Monsieur Gordon, de Glasgow, bredouilla Meg dans un effort désespéré pour l'arrêter.

Elle ne laisserait pas cet homme bouleverser sa famille avec ses regrets tardifs. *Jamais.*

Pendant un moment, personne ne parla.

Sa mère, aussi expansive que son père pouvait être taciturne, mit un terme au silence embarrassant.

— Pour toute l'assistance que vous avez pu prodiguer à notre fille lors de son difficile voyage de retour à la maison, nous vous remercions, monsieur Gordon.

— Je vous en prie, madame.

Meg le regarda, craignant de trouver du dépit dans ses yeux bruns. Elle y vit plutôt de la résignation. Par sa faute, il était redevenu monsieur Gordon. La pointe de culpabilité qu'elle ressentait était bien méritée.

— Passerez-vous la soirée dans votre famille? lui demanda sa mère.

— Je ne connais personne dans cette ville, répondit Gordon, alors je pensais prendre une chambre au café...

Sa mère réagit tout de suite.

— Au bout de la rue Baker? Non, non, monsieur Gordon. Ce n'est pas convenable pour un gentleman.

— Vous trouverez un hôtel respectable sur la rue King, lui dit son père. Nous pourrions vous y reconduire.

Alors que Gordon murmurait ses remerciements, Meg poussait un discret soupir de soulagement. Ils arriveraient au Golden Lion dans un quart d'heure, peut-être moins. Gordon Shaw descendrait de leur voiture, sortirait de leur vie, et ses parents ne sauraient jamais qu'elle leur avait menti.

Comme cet homme lui avait menti. De la même manière.

— Mes chers messieurs, dit sa mère avec un soupir exagéré, où est votre esprit de Noël? Ce moment de l'année n'est-il pas placé sous le sceau de l'hospitalité? Monsieur Gordon, vous êtes le bienvenu chez nous.

— Non! s'écria Meg, avant de porter la main à sa bouche. C'est-à-dire... qui voudrait passer la veille de Noël avec des étrangers?

Elle le regarda, implorante. *Vous ne pouvez pas venir, vous ne devez pas venir.*

— Laisse ce gentleman décider lui-même, la réprimanda sa mère.

— Votre fille a raison, répondit Gordon poliment. Un hôtel serait préférable.

— Et vous vous contenteriez de viandes froides et de pain rassis? fit sa mère avec un soupir dédaigneux. Madame Corr m'a dit que la plupart des passagers étaient descendus du train avant son départ de la gare. Je suis convaincue que vous ne trouverez pas une seule chambre libre à Stirling.

Elle tapota le bras de son mari.

— Aidez-moi, monsieur Campbell, lui dit-elle, nous devons arriver à le convaincre.

Son père haussa les épaules.

— Vous ne tarderez pas à découvrir que ma femme ne renonce pas facilement, dit-il.

Mais c'était précisément ce que Meg attendait de Gordon Shaw : qu'il renonce pour de bon à l'idée de les accompagner à la maison. Mais l'espoir qu'elle vit sur son visage réduisit à néant les attentes de la jeune femme.

Manifestement, il avait l'intention de se rendre jusqu'au bout. Il franchirait le seuil de leur porte, verrait le corps paralysé d'Alan de ses propres yeux, révélerait sa véritable identité et implorerait leur pardon — tout cela par une froide nuit d'hiver sans nulle part où aller s'il était banni de leur maison.

Sa mère continuait d'insister, jouant son rôle d'hôtesse exemplaire.

— Nous avons une chambre d'amis très douillette, de la nourriture en abondance et une ample provision de charbon pour vous garder au chaud. Je vous en prie, dites que vous nous accompagnerez à la maison, monsieur Gordon. Notre Noël sera bien plus agréable en votre compagnie.

— Si vous insistez, madame. Mais je n'abuserai pas de votre hospitalité et je partirai très tôt demain matin.

Il était nerveux. Meg le voyait dans ses yeux, l'entendait dans sa voix. Pourrait-il changer d'avis et taire son vrai nom — et ses excuses ? Elle s'accrocherait à ce scénario et lorsqu'elle pourrait converser avec lui seul à seul, elle l'implorerait de renoncer à ses intentions.

Son père hocha la tête vers les portes de la gare.

— En voiture, alors.

— Viens, Meg, dit sa mère en passant le bras autour de la taille de sa fille. Nous avons fait attendre ton frère trop longtemps.

Alan.

Meg marcha vers la sortie d'un pas lourd. Pourquoi n'avait-elle pas pensé à cela avant? Dans la famille, Alan était celui qui avait la meilleure mémoire des noms. Et des visages.

Chapitre 9

Évitez la procrastination, elle engendre les remords.

— Robert Southwell

Gordon suivit les Campbell dans la rue, son estomac vide douloureusement noué.

La situation était impossible, et il en était l'unique artisan. Il s'était délibérément placé en travers de leur chemin. Puis il avait accepté leur offre d'hospitalité, même si Margaret lui avait donné toutes les chances de la refuser. Ce qu'elle ne lui avait pas permis de faire, toutefois, c'était de se présenter sous son véritable nom. *Monsieur Gordon.* Essayait-elle de l'épargner ? Ou de le punir ?

— J'espère que vous aimez le rôti de porc, lui dit madame Campbell, alors qu'ils se faufilaient entre les attelages et les voitures, tous recouverts d'une épaisse couche de neige.

— Je ferai volontiers un festin de tout ce que vous me servirez, répondit Gordon distraitement, essayant de se rappeler quand et ce qu'il avait mangé la dernière fois.

Quand monsieur Campbell arriva auprès de leur attelage loué — un modèle fonctionnel tiré par deux chevaux bais Cleveland —, il offrit la main à sa femme et à sa fille. Gordon grimpa après eux et s'assit en face de Margaret, qui refusait de le regarder dans les yeux. Il savait qu'elle était mécontente de lui et sans doute épuisée aussi, comme il l'était lui-même. Et gelée de la tête aux pieds.

La chaleur des briques à leurs pieds s'était dissipée, et il semblait faire plus froid à l'intérieur que dehors. Alors que la voiture s'ébranlait, Gordon s'enveloppa plus étroitement dans son manteau et se pencha vers la fenêtre. Au matin, la ville pataugerait dans une mare de neige fondue et boueuse, mais pour l'instant, les rues de Stirling étaient immaculées sous leur blanc manteau.

— Charmant, n'est-ce pas? dit madame Campbell. Les réverbères ressemblent à des lunes suspendues au-dessus du trottoir.

— En effet, dit Gordon en se redressant, essayant de penser à ce qu'il pourrait répondre.

Il n'avait jamais excellé dans les conversations de salon. Comme la plupart des journalistes, il posait des questions, écoutait et prenait des notes. La seule chose qu'il avait à l'esprit maintenant était Alan. Il n'aurait jamais cru le revoir de sa vie. Reconnaîtrait-il le jeune garçon, après toutes ces années?

Madame Campbell interrompit le cours de ses pensées.

— Alors, monsieur Gordon, et si vous nous parliez de l'accident?

Il leva la tête brusquement. Margaret aussi. *De l'accident?*

— Nous aimerions entendre le récit de témoins directs, dit madame Campbell, avec un regard rempli d'attentes. Est-il vrai que la locomotive était ensevelie sous la neige?

Son cœur cessa de battre frénétiquement.

— Pas entièrement, madame, dit-il, mais presque.

Gordon décrivit en détail leur mésaventure à bord du train, pendant que leur véhicule circulait tranquillement le long de la rue qu'il avait arpentée le matin même. Les boutiques de la place Murray étaient fermées depuis longtemps maintenant, leurs stores baissés, leurs vitrines sombres.

Quand ils ralentirent pour prendre le chemin Dumbarton, il jeta un coup d'œil à l'immeuble Drummond, qui abritait le *British Messenger.* Si difficile qu'il fût pour lui de l'imaginer, il était dans cet édifice dix heures auparavant. Si quelqu'un lui avait alors dit qu'il repasserait par là le même soir, Gordon aurait ri de l'absurdité d'une telle affirmation.

Au lieu de cela, il regardait sombrement chaque porte qui défilait dans son champ de vision. Bientôt, ils auraient dépassé l'avenue Glebe. Puis ce serait la place Albert. L'attelage s'arrêterait, les Campbell descendraient, et la vérité serait enfin dite.

Mon nom est Gordon Shaw. Il y a une douzaine d'années de cela, j'ai fait une chose impardonnable...

Son cœur battait rapidement et sa poitrine était douloureuse. Quand ils eurent atteint leur destination, Gordon craignit que ses genoux ne puissent le soutenir. Quoi qu'il pût arriver cette nuit-là, cela ne pourrait être pire que le dernier quart d'heure qu'il avait vécu.

— Nous y voilà, dit monsieur Campbell en hochant la tête en direction de la porte. Si vous voulez bien, monsieur Gordon.

Il descendit immédiatement de l'habitacle étouffant, ayant besoin de temps pour respirer, pour penser. Pendant que monsieur Campbell aidait sa femme et sa fille à descendre, Gordon les attendait, son sac de voyage à la main, près de la grille en fer forgé. La maison de grès était plus petite qu'il ne l'avait imaginée, avec une basse haie entourant un jardin devant et un toit à forte pente. Il détecta un léger mouvement à l'une des fenêtres décorées. Était-ce une servante, impatiente de servir le dîner ? Ou Alan, curieux de voir qui rentrait à la maison avec sa famille ?

— Accompagne notre hôte à la porte, chérie, dit madame Campbell en faisant signe à Margaret d'aller devant.

Gordon accorda son pas au sien alors qu'ils marchaient côte à côte dans l'allée déneigée, comme ils l'avaient fait entre les rails. Il prenait garde de ne pas effleurer son épaule et taisait ses pensées. *Je suis désolé, Margaret, mais je dois me rendre jusqu'au bout.*

Un réverbère au gaz illuminait l'unique numéro en bronze de la maison. Juste avant d'ouvrir la porte, Margaret murmura discrètement :

— Nous devons parler. Bientôt.

Troublé par sa proximité, Gordon faillit trébucher sur le seuil. Elle avait déjà exprimé clairement ses souhaits. Qu'y avait-il d'autre à dire ?

Madame Campbell chantonna derrière lui :

— Monsieur Gordon, voici notre Clara.

La jeune servante les fit à entrer, le regard brillant, son tablier immaculé même à cette heure tardive. Elle aida les dames à retirer leurs manteaux, puis assista Gordon pour ôter le sien.

Un étroit passage traversait la maison de part en part, le petit salon et la salle à manger se trouvant à l'avant. Depuis les rideaux jusqu'au tapis, un déploiement de motifs floraux se disputait son attention. Les tables étaient drapées de lin et de dentelle, les surfaces encombrées de photographies encadrées, de fruits cirés, de figurines de bois et d'autres bibelots. Des branches de mélèze, de houx et de vigne décoraient les tablettes, les tableaux, et la senteur des conifères fraîchement coupés imprégnait l'air. Ses sens n'étaient pas tant stimulés qu'assaillis.

Alan n'était nulle part en vue.

Madame Campbell retira une longue épingle de son chapeau en souriant à son reflet dans le miroir du vestibule.

— Clara, dit-elle, préviens madame Gunn que nous dînerons à vingt-trois heures. Et conduis notre invité à sa chambre afin qu'il puisse se changer pour le repas.

Alors que Margaret le précédait de quelques marches dans l'escalier, Gordon était hanté par ses paroles : « Noël est une fête où la joie doit régner ». Quel bonheur apporterait cette nuit aux Campbell ? Le rappel qu'il y avait eu autrefois des fêtes heureuses, avant que leur vie soit changée par l'acte insouciant d'un étranger ? Ou le retour de ce même étranger, se présentant pour faire des excuses trop longtemps attendues ? Gordon était persuadé du second — pas seulement pour son salut, mais aussi pour le leur.

Admets tes fautes. Oui, il le ferait.

Quand ils atteignirent le sommet de l'escalier, Margaret disparut sans un mot dans une chambre de l'autre côté du corridor. Viendrait-elle le voir bientôt? «Dans quelques minutes», avait-elle dit. Gordon suivit la servante dans la petite chambre à coucher nichée sous les avant-toits. Les murs aux couleurs discrètes et l'ameublement simple lui convenaient, et la cuvette de porcelaine encore davantage.

— Je vous apporte de l'eau chaude tout de suite, monsieur. Aurez-vous besoin d'autre chose?

Oui. Il déposa son sac de voyage sur une chaise à dossier droit. *Du courage. De la force.*

Avant qu'il ait pu répondre, elle poursuivit son bavardage amical.

— Vous trouverez une tasse de rasage et du savon dans la commode, et les toilettes sont au bout du corridor. Puis-je défaire vos valises? Ou repasser votre chemise?

Gordon ouvrit son sac immédiatement et lui remit un paquet de linge propre mais froissé.

— Je vous remercie, Clara, dit-il.

Elle fit une rapide révérence et s'en alla, le laissant à ses propres soins.

Il retrouva rapidement son rasoir et son peigne, puis donna quelques coups de brosse au veston de son habit gris. Ni l'inquiétude ni la peur ne lui seraient d'aucune aide ce soir-là. *De la force, de l'amour et un esprit serein.* Oui, c'était tout ce dont il avait besoin. Il ne les trouverait pas dans son sac de voyage, mais il savait vers qui se tourner malgré tout.

Peu après, Clara réapparut avec un broc d'eau chaude, des serviettes propres et sa chemise bien repassée.

— Le dîner sera servi dans un quart d'heure, monsieur.

Gordon se lava, se rasa et s'habilla, répétant les mots qu'il avait l'intention de dire. Il n'aurait pas la présomption de demander pardon aux Campbell, mais il offrirait ses excuses, qui n'avaient que bien trop tardé.

Il rajustait sa cravate quand il entendit de petits coups frappés à la porte. *Margaret.*

Gordon ouvrit, puis fit un pas en arrière. Disparus, ses vêtements mouillés, son manteau éclaboussé, son chapeau noir flasque. Elle portait une robe de soirée du même bleu net que ses yeux, et ses cheveux couleur de sable formaient un nid de boucles soignées.

Il lui fallut un moment pour retrouver son aplomb.

— Mademoiselle Campbell.

Elle jeta un coup d'œil à l'escalier avant de franchir le seuil.

— Pardonnez-moi de ne pas m'être adressée à vous par votre nom, dit-elle.

Sa voix était basse, son visage grave.

Il l'invita à pénétrer dans la pièce et capta un effluve de son parfum quand elle passa près de lui. Ce soir-là, pas même une jolie jeune femme en bleu ne pourrait le dissuader de révéler son identité. La seule question qui restait était quand.

Elle était debout devant lui, les mains posées sur sa taille.

— Je suis venue vous demander, dit-elle, plutôt vous implorer de ne rien dire sur l'incident de King's Park, à moins qu'Alan ne vous reconnaisse. Je vous en prie.

Sa voix tendre, ses mots aimables le suppliaient.

— Il y a peu de choses à gagner à ouvrir cette porte.

— Comment pouvez-vous en être si certaine ? dit Gordon en fronçant les sourcils tout en essayant de ne pas s'irriter contre elle. Ne devons-nous pas confesser nos péchés ?

— Vous révéleriez le mien aussi, dit-elle, et ses joues pâles se colorèrent comme des roses d'été. C'est moi qui leur ai dit que votre nom de famille était Gordon.

Maintenant, il comprenait.

— J'aurais pu vous reprendre sur-le-champ, lui rappela-t-il, bien que les deux fussent conscients qu'il ne l'aurait jamais fait au milieu d'une gare bondée. Quoi qu'il en soit, vous n'avez pas menti. Mon nom *est* Gordon.

— C'est vrai, dit-elle en s'approchant de lui un peu plus. Je vous en prie, Gordon.

Son usage audacieux de son prénom le désarçonna.

— Mais je…

— S'il vous plaît, ne le leur dites pas.

Ses yeux brillaient à la lumière de la lampe.

— Partagez notre Noël, dit-elle. Puis poursuivez votre chemin sans rien dire à ma famille. Vous me le promettez, Gordon ? Vous le ferez pour moi ?

Il voulut s'écarter d'elle un peu, pour discuter avec elle, mais ses pieds ne lui obéissaient plus.

— Je dois le faire… dit-il, et il déglutit fortement. Margaret, je n'aurai jamais une autre occasion comme celle-là de rectifier les choses.

— Mais si cela ne faisait que les empirer ? demanda-t-elle, et sa voix était douce comme celle d'un enfant. Vous vous êtes excusé auprès de moi. N'est-ce pas suffisant ?

— Ce n'est pas vous qui avez été blessée. Pas physiquement, du moins.

Il osa prendre sa main; elle ne la retira pas.

— J'ai vu son visage ce soir-là, Margaret. Quand vous le teniez dans vos bras, je me suis penché et j'ai vu toute l'angoisse dans les yeux du petit garçon.

— Je l'ai vue aussi, dit-elle, et une larme coula sur sa joue. Les années l'ont changé, Gordon, et pas pour le mieux. Vous ne pouvez guérir mon frère.

— Je sais, dit-il en libérant sa main. Entendons-nous, alors. Si Alan me reconnaît, je dirai tout à votre famille et m'assurerai qu'on ne vous fera aucun reproche.

Elle détourna le regard comme si elle considérait cette possibilité.

— Et si Alan ne vous reconnaît pas? demanda-t-elle.

Gordon connaissait la réponse qu'elle attendait de lui.

— Alors, nous apprécierons un excellent dîner de Noël, répondit-il. Et je quitterai la ville par le train du matin.

Mais ce n'était pas ce que Gordon souhaitait. Il avait choisi ses mots avec soin pour la famille de Meg et il était prêt à les dire, le souhaitait même ardemment. Les déposer comme un poids écrasant qu'il avait porté assez longtemps. *Remets ton fardeau à Dieu.* Il aurait dû écouter ce sage précepte il y a douze ans.

Une horloge invisible commença à sonner l'heure.

Gordon suivit Margaret dans l'escalier, le cœur lui martelant la poitrine. De riches arômes flottèrent à leur rencontre. Mais, si savoureuse que fût la cuisine de madame Gunn, il ne s'imaginait pas en prendre une seule bouchée.

Il suivit Margaret dans le petit salon, où un feu de charbon brûlait dans l'âtre, où un piano droit attendait qu'on y jouât et où une épinette de Norvège trônait près de la fenêtre. Mais il n'était pas venu pour entendre de la musique ou voir un arbre de Noël.

Gordon regarda le jeune homme assis près du feu, les pieds posés à plat sur le tapis, le dos rigide. *Alan.* Un sanglot monta à la gorge de Gordon. *Je t'ai fait cela. C'est moi.* Il essaya d'avaler, mais en fut incapable. *Pourras-tu jamais me pardonner ?*

Son discours soigneusement préparé se mua en poussière dans sa bouche.

De chaque côté d'Alan étaient assis ses parents, dont la posture était également guindée, comme si les trois posaient pour un portrait de famille.

Madame Campbell souriait. Pas monsieur Campbell.

— Voici notre fils, Alan, dit-il, et un léger mouvement du sourcil semblait un défi lancé à quiconque penserait du mal de son héritier. Alan, je te présente monsieur Gordon, le gentleman du train.

Alan offrit un léger hochement de tête, et rien de plus. Il avait les mêmes cheveux et mêmes yeux noirs que son père, pourtant il ne ressemblait plus au garçon que Gordon se rappelait. Ses traits s'étaient durcis et son front était profondément ridé. Plus une trace d'innocence ne subsistait en lui.

Plutôt que d'incliner la tête pour lui parler, Gordon posa un genou par terre, donnant à Alan toutes les chances de le reconnaître.

— Je suis honoré de vous parler, lui dit Gordon, et il était sincère.

Une étincelle de colère s'alluma dans les yeux du jeune homme.

— J'imagine aisément ce que notre chère Meg a pu vous dire à mon sujet.

Le timbre de sa voix vibrait d'ironie et l'amertume flottait au-dessus de lui comme un nuage.

Gordon aurait voulu répondre : « Je n'ai entendu que des paroles flatteuses », mais cela n'aurait pas été la vérité. Margaret lui avait fait comprendre sans détour que la compagnie de son frère était devenue un fardeau pour elle. Gordon lui dit plutôt :

— Elle ne m'a dit que peu de choses, je le crains.

Le jeune homme se contenta d'émettre un grognement. Une chose était sûre : Alan Campbell ne l'avait pas reconnu.

Au bout d'un moment, Gordon se leva, essayant de surmonter sa déception. Ce qu'il désirait par-dessus tout ce soir-là, c'était de demander pardon. Mais il avait fait une promesse à Margaret qu'il ne trahirait pas.

— Pardonnez-moi, dit Gordon. L'heure avance, et votre dîner a été retardé assez longtemps.

Puis, il se tourna vers la seule personne qu'il connaissait vraiment et lui offrit son bras.

— Mademoiselle Campbell ?

Chapitre 10

Par une morne nuit de décembre...
Quand il gelait à pierre fendre.

— JOHN KEATS

Même adossée au feu du foyer de la salle à manger, Meg fut parcourue d'un frisson.

Elle regarda son père au bout de la table, puis Gordon assis à côté d'elle, puis Alan en face. Les trois hommes avaient à peine remué les lèvres, Alan en particulier. S'il avait regardé dans sa direction, Meg ne l'avait pas remarqué. Ce qu'elle voyait, c'étaient ses sourcils noirs, si froncés qu'ils paraissaient soudés, et la profonde ride qui creusait son front.

Sa mère faisait de son mieux pour égayer l'atmosphère, partageant avec eux les derniers potins de la place Albert. Monsieur Dunsmore, l'horloger, avait avalé un minuscule ressort, qui était tombé de sa poche dans son porridge. Une voisine âgée, la fringante madame Thomson, avait escaladé les deux cent quarante-six marches du monument William Wallace pour relever un défi.

Et monsieur Kirkwood avait tapissé le vestibule des Stewart avec du papier floral posé sens dessus dessous.

— Ne m'accusez pas d'être une commère, prévint-elle Gordon, car je ne raconte que des histoires véridiques.

Gordon la rassura :

— C'est aussi mon crédo, madame.

— Voilà des paroles de vrai journaliste, dit Meg, pensant éveiller l'intérêt de son père et de son frère, qui étaient tous deux d'avides lecteurs. Mais ni l'un ni l'autre ne réagit. La présence d'un invité pour le dîner avait sûrement jugulé la colère de son frère, ce qui était de bon augure. Mais il pouvait encore reconnaître Gordon, même si elle ne l'avait pas fait.

Plus vite ils auraient fini de dîner, plus vite ils se retireraient pour la nuit, et le risque d'une révélation disparaîtrait littéralement sous les couvertures. Gordon avait promis de prendre le premier train en partance pour Édimbourg. Dans quelques heures, elle pourrait de nouveau respirer librement.

Enfin, madame Gunn émergea de la cuisine, s'apprêtant à servir le dernier plat de la soirée et à recevoir les éloges mérités de la famille.

— C'était un excellent dîner, madame Gunn, dit sa mère en faisant un sourire radieux à la cuisinière. La soupe aux marrons était spécialement savoureuse.

Madame Gunn hocha la tête pour recevoir le compliment, puis fit le tour de la table avec un plateau chargé d'alléchantes pâtisseries — des sablés saupoudrés de sucre et des tartelettes aux fruits constellées de petites étoiles glacées. Clara était sur ses talons, versant le café.

— Tout était délicieux, dit Meg à la cuisinière aux épaules rondes.

Les cheveux grisonnants de madame Gunn s'échappaient sous le bord de son bonnet, et ses yeux étaient cernés. *Pauvre femme.* Il était près de minuit.

Quand madame Gunn avait servi Alan, jamais ne s'était-il donné la peine d'exprimer son appréciation. Il avait pourtant repris des portions de saumon, de porc et de faisan, de navets, de carottes et de pommes de terre. Gordon, voulant peut-être racheter son silence, complimenta chaudement madame Gunn, bien qu'il eût à peine touché à sa nourriture.

Trop fatigué pour manger, supposa Meg. Ou bouleversé d'avoir revu Alan.

Ou déçu parce qu'elle ne lui avait pas laissé l'occasion de faire une confession complète.

Meg plongea sa fourchette dans sa tartelette aux fruits, qui lui parut sèche et friable tant elle se sentait coupable. *Pardonnez-moi, Gordon.* C'était pur égoïsme de sa part que de ne pas vouloir troubler son père ou faire enrager son frère. Monsieur Shaw avait honoré sa promesse, un trait de caractère admirable chez tout homme. Elle n'aurait pas dû le forcer à endosser un nom qui n'était pas le sien.

Tu ne feras pas de faux témoignage. Oui, elle connaissait ce commandement et l'avait violé sciemment. Meg se brûla la langue avec son café en essayant d'avaler un morceau de croûte resté pris dans sa gorge.

Dès que la dernière tasse vide eut tinté sur sa soucoupe, son père se leva, signalant la fin du repas.

— J'irai te voir dans ta chambre, Alan, dit-il à son fils.

Gordon se leva aussi.

— Puis-je me rendre utile?

Meg sentit son désir sincère de participer, de faire quelque chose, n'importe quoi, pour faire amende honorable.

Alan rejeta son offre du revers de la main.

— Nous n'avons pas besoin de votre aide.

Quand Gordon reprit son siège, l'air un peu déconfit, Meg comprit. Combien de fois Alan l'avait-il rabrouée, interrompue, ignorée ou humiliée?

Son père tira la chaise d'Alan vers l'arrière, puis l'aida à se lever et à avancer d'un pas hésitant. Le visage de son frère exprimait un douloureux effort, mais qui lui parut plus simulé que réel.

Meg baissa les yeux, honteuse de ses pensées. Pourtant, il lui arrivait à l'occasion de se demander si son frère n'était pas plus mobile qu'il ne le laissait voir. Quand elle vivait à la maison, en deux occasions, elle était passée devant sa chambre au rez-de-chaussée et l'avait aperçu se tenant debout à la fenêtre. Elle n'avait rien dit à Alan ni à ses parents. Comment aurait-elle pu le faire sans paraître mesquine? Si son frère avait découvert un moyen de se lever sans aide un moment, n'était-ce pas une bénédiction au contraire?

Quand Meg releva la tête, Alan et son père avaient déjà quitté la pièce.

Meg soupira dans l'obscurité de sa chambre à coucher glaciale, persuadée qu'elle pourrait voir son haleine si elle allumait la lampe de sa table de chevet. Même blottie sous trois couvertures de laine, elle frissonnait. Les braises de son foyer avaient besoin d'être ranimées. Mais ses chaudes pantoufles étaient dans sa malle. Dans le train. Enseveli sous la neige.

L'aube ne se lèverait pas avant au moins deux heures. Pourtant, dans bien des maisons disséminées dans la nouvelle ville d'Édimbourg, ses élèves devaient être déjà debout et rassemblés autour du foyer, attendant le réveil du reste de la maisonnée afin que les festivités du jour puissent commencer. Le contenu de grands bas serait déversé sur les genoux d'enfants en extase. Une orange, ronde et odorante. Un singe attaché à une tige de bois. Des crayons de cire de toutes les couleurs. Un mouchoir imprimé sur lequel figure une scène de conte de fées. Et, au bout de l'orteil du bas tricoté, un penny brillant tout neuf.

Meg soupira, se rappelant à quel point elle et Alan appréciaient leurs bas de Noël quand ils étaient enfants. Il lui fallait attendre patiemment son tour alors qu'elle extrayait lentement ses cadeaux un à la fois, chérissant chaque bibelot et chaque jouet de saint Nicolas. C'étaient des années heureuses. Le rire de maman résonnait dans toute la maison, et papa amenait le jeune Alan au King's Knot[3], dans le vieux jardin royal, pour dévaler les pentes sous le château.

Mais ces jours-là étaient révolus.

Rejetant ses couvertures, Meg se promit de tirer le maximum de son bref séjour à la maison. Elle tisonna le charbon jusqu'à ce qu'il fût de nouveau rougeoyant. Puis elle alluma la lampe la plus proche et fouilla dans sa

---

3. N.d.T. : Célèbre monticule de terre circulaire près du château de Stirling.

commode à la recherche de quelque chose de propre à mettre. La jupe rayée et la blouse qu'elle avait portées dans le train séchaient toujours à côté du feu, et la robe bleue de la veille n'était pas appropriée pour aller à l'église.

Meg saisit une robe de ville en flanelle grise qu'elle n'avait pas portée depuis ses vingt ans. Les manches étroites étaient démodées, mais un coup de fer aidant, elle serait présentable. Elle avait étendu la jupe sur le lit et était à la recherche d'une paire de bas de soie quand Clara s'annonça en frappant quelques petits coups à la porte.

— Je vous ai entendue marcher, mademoiselle Campbell, dit-elle quand Meg lui ouvrit. Voici de l'eau chaude pour vous laver et une tasse de thé.

Elle déposa le broc sur la table de toilette et la tasse de thé au chevet du lit, puis elle ramassa la robe de flanelle.

— Je reviens bientôt, promit Clara, avant de sortir aussi discrètement qu'elle était venue.

Meg s'assit sur le bord de son lit, sirotant son thé, le cœur rempli de gratitude. À Édimbourg, elle n'avait ni femme de chambre ni domestique, seulement une gouvernante qui venait une fois la semaine. Un thé bouillant apporté dans sa chambre ? Une robe repassée par d'autres mains que les siennes ? Autant de luxes inconnus pour elle.

Elle s'était frottée des pieds à la tête quand Clara revint avec sa robe de flanelle bien repassée et des nouvelles préoccupantes aussi.

— Les trains ne partent pas de Stirling ce matin, dans aucune direction.

Meg regarda par la fenêtre le jardin plongé dans l'obscurité derrière la maison.

— Je ne peux croire qu'il neige encore.

— Oui, mademoiselle.

Ses pensées volèrent dans le corridor jusqu'à la petite chambre d'invités. Il semblait bien que Gordon Shaw les accompagnerait à l'église, assisterait même à leur repas de Noël. En le voyant à la lumière du jour, Alan le reconnaîtrait-il enfin?

Un frisson nerveux lui courut le long des vertèbres, mais elle le chassa, refusant d'entretenir de telles peurs. Il n'y avait rien à faire, sinon s'habiller pour la journée et préparer son cœur à toutes les éventualités.

— Devrions-nous voir si elle me fait encore? demanda Meg.

Elle glissa les bras dans le corsage séparé, avec ses coutures et ses pinces baleinées, puis se mit à attacher la myriade d'agrafes qui tenaient le vêtement ensemble. Un processus interminable, en particulier quand ses doigts tremblaient de froid.

Clara l'aida à entrer dans la jupe, puis noua à sa taille la large ceinture de soie.

— Vous êtes charmante, mademoiselle, la complimenta-t-elle. Le gris clair va si bien à votre teint.

Meg se sentait un peu à l'étroit dans le corsage, et il manquait un bouton doré à l'une des manches, mais elle n'aurait pas honte quand elle descendrait l'escalier. En quelques minutes, Clara coiffa ses cheveux, les rassemblant en un lisse chignon qu'elle épingla sur sa nuque.

Heureuse de l'efficacité de la jeune fille, Meg croisa le regard de Clara dans le miroir.

— Je suppose que je n'arriverai pas à te convaincre de venir à Édimbourg avec moi? lui demanda-t-elle.

Clara sourit à ce compliment, mais Meg savait qu'elle ne quitterait jamais cette maison. Toute la famille de Clara vivait dans le comté de Stirling. Pour elle, la capitale était un autre univers, qu'il valait mieux observer d'une distance prudente.

Peu après, les deux femmes descendirent l'escalier sur la pointe des pieds, essayant de ne pas réveiller la maisonnée endormie. Clara retourna à ses tâches dans la cuisine pendant que Meg pénétrait dans le petit salon, où elle trouva le feu qui crépitait et les lampes qui baignaient la pièce d'un doux éclat.

Elle respira la senteur familière des conifères et de la cire d'abeille, puis leva les yeux pour admirer l'épicéa qui touchait presque le plafond. L'arbre était décoré de guirlandes de houx, de délicates décorations en verre et de petites bougies blanches fixées aux branches. Un ange trônait au sommet, une trompette de cuivre à la main.

Au pied de l'arbre, un grand carré de tissu rouge avait été étalé, sur lequel un amas de mystérieux paquets étaient déposés, attendant d'être ouverts. Ils ne l'avaient pas été la veille. *Merci, maman.* Combien de veilles de Noël sa mère s'était-elle faufilée dans le petit salon, afin d'envelopper les cadeaux avec du papier brun et de la ficelle, alors que les autres membres de la famille étaient depuis longtemps blottis dans leur lit?

En clignant des yeux pour refouler ses larmes, Meg s'agenouilla près des quelques présents qu'elle avait placés sous l'arbre le soir de son arrivée. Aucun ne valait très cher, pourtant elle les avait choisis avec soin.

Alors qu'elle les prenait un à un pour s'assurer que les étiquettes étaient toujours en place, elle pensa à Gordon, qui passait le matin de Noël avec des étrangers et à qui aucun paquet n'était destiné.

Elle regarda les deux articles qu'elle avait achetés pour son frère. Elle fit courir le bout de son doigt sur la ficelle rugueuse tout en pensant à ce qu'elle devait faire. Quand il était petit, Alan partageait volontiers l'un de ses cadeaux avec un enfant qui n'en avait pas. Oserait-elle retirer une étiquette afin de l'offrir plutôt à Gordon? Elle se sentait coupable de considérer l'idée, pourtant il lui semblait injuste qu'il n'eût pas le plus infime présent à ouvrir.

Un instant. Meg fut sur pied en un clin d'œil pour se diriger rapidement vers l'escalier. *L'écharpe de monsieur Forsyth.* Quand Meg ouvrit le tiroir du bas, il en émana une forte odeur de cèdre. Elle fouilla à l'intérieur, puis sourit. *Oui, elle était encore là.* Elle enfouit son nez dans la douce laine, inhalant l'arôme épicé, puis plaça l'écharpe sous la lampe pour faire un examen plus minutieux. Les petits blocs de cèdre, fraîchement poncés chaque mois, avaient tenu les mites en respect, comme elle l'avait espéré.

Gordon Shaw n'avait pas besoin de connaître l'histoire de son cadeau. Mais il lui fallait une écharpe.

Alors que Meg parcourait le corridor de l'étage, elle entendit une porte se fermer. Instinctivement, elle le dissimula derrière son dos et se tourna vers la source du bruit.

— Je vous souhaite un joyeux Noël, monsieur Gordon.

— Joyeux Noël à vous aussi, dit-il en se dirigeant vers elle. Clara m'a dit qu'il n'y aurait pas de train pour Édimbourg ce matin.

Était-il déçu ou soulagé ? Meg ne pouvait en être certaine, ni par le ton de sa voix ni par l'expression de son visage.

— Vous êtes le bienvenu, restez aussi longtemps qu'il le faudra.

— Pour le bien de votre famille, j'espère que ce ne sera que quelques heures.

Gordon s'avança vers elle. Son regard brillait maintenant de curiosité alors qu'il inclinait la tête de côté, faisant un effort taquin pour voir ce qu'elle cachait manifestement à sa vue.

— Vous levez-vous toujours si tôt ? demanda-t-il.

— Il le faut, répondit-elle en s'adossant contre le mur. Surtout quand j'ai des cadeaux à envelopper.

— Oh, dit-il, en s'arrêtant à un bras de distance. Je ne savais pas… C'est-à-dire, je ne voulais pas…

Même dans la lumière blafarde, Meg vit ses joues se colorer.

— Monsieur Gordon, vous n'avez pas besoin de…

Il avait déjà rebroussé chemin vers la chambre d'invités.

— Je descends bientôt, mademoiselle Campbell.

Elle regarda la porte se refermer, l'écharpe toujours cachée derrière son dos.

Chapitre 11

Dieu ne regarde pas l'importance du don,
mais les qualités de celui qui le fait.

— FRANCIS QUARLES

Gordon déversa le contenu de son sac de voyage sur le lit de la chambre d'amis. Quelle sorte de cadeaux espérait-il trouver au milieu de vêtements fripés et de journaux froissés ? Rien d'une très grande valeur, assurément. Pourtant, les Campbell apprécieraient le geste, Margaret en particulier. Et si ses offrandes modestes jouaient le rôle d'excuses silencieuses, si ses présents adoucissaient leur cœur un tant soit peu, cela ne serait-il pas une chose sainte et bonne ?

Il déplia l'édition du lundi du *Stirling Observer* afin de l'utiliser comme papier d'emballage, puis se servit de son canif pour couper une longueur de ficelle en quatre bouts. Ensuite, il sélectionna sur le lit quelques articles qui lui paraissaient intéressants. Tous étaient neufs, achetés à Glasgow avant son départ. Des choses pratiques, utiles pour un journaliste en déplacement.

La carte fidèle du comté de Stirling serait appréciée par un banquier attentif aux détails. Madame Campbell aimerait sûrement sa petite édition reliée en toile des *Pages du journal de notre vie dans les Highlands*, de la reine Victoria, qu'il avait l'intention de lire pendant son Noël solitaire à Édimbourg.

Le présent d'Alan lui demanderait le plus grand sacrifice, avec raison — un stylo à plume acheté chez un papetier de la rue Argyle, accompagné de vingt feuilles de papier à lettres. Bien sûr, le papier et le stylo à plume, peu importe leur qualité, ne remplaceraient jamais des excuses sincères.

Pardonne-moi, Alan. Il n'aurait peut-être jamais la chance de dire ces mots. Pas s'il respectait sa promesse à Margaret.

Gordon tendit la main vers son dernier cadeau, un article sans lequel il partait rarement en voyage — un paquet de chandelles blanches. Quand les lumières du gaz s'éteignaient ou que l'huile à lampe était introuvable, les bougies venaient à son secours. Il passa un pouce sur leur surface à la recherche d'aspérités ou de rainures. Un cadeau bon marché, mais bien choisi pour une femme qui tenait à voir des bougies allumées à toutes les fenêtres la veille de Noël.

N'y verrait-elle que la cire et les mèches ? Ou en comprendrait-elle le sens plus profond ? *La lumière est préférable à l'obscurité, Margaret, et la vérité est préférable aux mensonges.*

Au cours de leur longue marche dans la campagne enneigée, quand elle lui avait ouvert son âme, Gordon avait entraperçu Margaret à quatorze ans. Vulnérable.

Fragile. Innocente. Derrière l'adulte élégante de ce matin, il voyait encore la jeune fille au cœur brisé, les yeux remplis de larmes.

Je suis désolé, Margaret. Il ne faisait pas que comprendre son chagrin ; il l'avait partagé au cours des ans.

Sur un petit carré de papier à lettres, Gordon écrivit la bénédiction traditionnelle des boutiquiers, offerte avec les bougies vendues au temps de Noël. Puis il ajouta un verset qui avait une signification spéciale pour lui. Il inséra le billet entre les chandelles, qu'il emballa dans du papier journal et noua avec une ficelle.

Quand il eut fini son travail de saint Nicolas, Gordon poussa un soupir. Puis l'arôme du pain fraîchement cuit vint le tirer de ses réflexions. Le petit déjeuner ne tarderait plus.

Il s'activa et emballa rapidement ses vêtements et ses autres possessions afin d'être prêt à partir dès que le service de chemin de fer reprendrait. Après avoir consulté le miroir au-dessus de la table de toilette une dernière fois, il prit ses paquets et descendit discrètement, espérant les déposer sous l'arbre sans être aperçu.

Mais dès qu'il eut tourné le coin, il vit Margaret assise près de la fenêtre du petit salon, ses jupes grises répandues autour d'elle.

Ses yeux s'agrandirent en le voyant chargé de paquets.

— Monsieur, vous avez dû piller les tiroirs de la chambre d'invités.

— Une idée intéressante, dit-il en esquissant un sourire, et il fut heureux quand elle y répondit. En fait, j'avais apporté ces quelques objets.

Il se pencha pour ajouter ses cadeaux à la pile gran-
dissante, puis se tourna vers elle.

— Mon sac de voyage est prêt, mademoiselle
Campbell. Soyez rassurée. Je ne resterai que le temps qu'il
faudra.

Son sourire s'évanouit.

— Mais vous serez parmi nous pour le petit déjeuner
de Noël?

— Oh, mais bien sûr, répondit-il.

Avait-il paru si pressé de partir?

— Plus tard, nous irons à l'église à pied pour l'office
des chants de Noël.

Gordon regarda de l'autre côté de la rue vers la salle
municipale, terminée l'année de son départ de Stirling.
Les fenêtres cintrées et les urnes rondes en pierre étaient
à peine visibles à travers l'épais rideau de neige.

— Je pensais que vous aviez foulé assez de neige
pour quelque temps.

— En effet, dit Margaret, qui se leva alors que
l'horloge du manteau commençait à carillonner l'heure.
Mais j'ai aussi manqué trop de services religieux
récemment.

— Alors, nous arrangerons cela ce matin, dit-il d'un
ton léger, car il ne voulait pas paraître la réprimander.

Il passa par le vestibule d'entrée avec elle pour accéder
à la salle à manger, où la famille était réunie pour le
petit-déjeuner.

Gordon regarda la table impeccable — les verres
polis, l'argenterie étincelante, la flamme dansante des
bougies — et pensa à tous les vingt-cinq décembre qu'il
avait passés seul, se désolant de la perte de ses parents et

souhaitant avoir un vrai foyer. Il balbutia un «Joyeux Noël» avec peine.

Madame Campbell se hâta vers lui, agitant les mains.

— Joyeux Noël, monsieur Gordon. Venez rompre le jeûne avec nous.

Elle le mena auprès du buffet sur lequel avaient été disposés les scones dorés et les petits pains au levain, les saucisses grasses et les épaisses tranches de bacon, les œufs à la coque et le porridge.

— Mangez à votre faim, car nous ne mangerons à nouveau pas avant quatorze heures.

Gordon couvrit chaque centimètre carré de son assiette, espérant qu'on n'entendrait pas son estomac gronder. Quand il s'assit, Clara s'approcha pour lui verser son thé. Margaret vint bientôt le rejoindre à table, mais la place d'Alan demeura inoccupée.

Une brève accalmie dans la conversation s'ensuivit pendant que les couteaux et les fourchettes s'animaient. Finalement, madame Campbell déposa sa serviette de table sur la table et reprit son rôle d'hôtesse.

— Nous sommes heureux de compter monsieur Campbell parmi nous aujourd'hui et demain, dit-elle en souriant à son mari. Chaque année, au lendemain de Noël, notre famille assiste au tournoi de curling à King's Park.

Gordon se figea, une cuillerée de porridge à mi-chemin entre son plat et sa bouche.

— C'est à cet endroit que notre cher Alan a été blessé, il y a de cela plusieurs années, dit madame Campbell en regardant la chaise vide de son fils. Malgré tout, il affronte avec courage ces pénibles souvenirs.

Gordon déposa lentement sa cuillère.

— Je vois, dit-il.

Monsieur Campbell courba un doigt en direction de Clara pour qu'elle vienne remplir sa tasse de thé.

— Désapprouvez-vous notre idée de l'y emmener? demanda-t-il.

— N-non, monsieur, dit Gordon en le regardant. Jamais je n'oserais… c'est votre fils.

— Notre fils, en effet.

Le petit déjeuner perdit soudain son attrait. Gordon ne désirait plus qu'une seule chose : parler franchement. Immédiatement. Il se tourna vers Margaret, plaidant silencieusement sa cause. *Je dois le leur dire. Je dois le faire maintenant.* Il vit la peur dans ses yeux et sut qu'elle comprenait ses pensées. *Puis-je, Margaret?*

Elle secoua la tête presque imperceptiblement, puis forma les mots avec ses lèvres : « Pas encore ».

Combien de temps pensait-elle qu'il pourrait le supporter? Prétendre être quelqu'un d'autre? Continuer à cacher son nom de famille? Quand il repoussa son assiette un peu vivement, Clara la retira rapidement comme si la nourriture était la cause de son malaise.

— Je vois que vous avez suffisamment mangé, dit madame Campbell poliment. Si vous voulez bien, nous ouvrirons nos cadeaux.

Gordon se leva immédiatement.

— Bien sûr, madame.

Échange de cadeaux? Comment pourrait-il subir un tel rituel à présent? Les interminables secousses imprimées aux paquets pour en deviner le contenu. Le déballage prudent. La surprise feinte quand l'objet qui ressemblait tant à un livre était, justement, un livre.

Assez, Gordon. Quand il briserait sa promesse à Margaret et qu'il leur dirait qui il était, c'en serait fait de leur joie pour cette journée. Ne pouvait-il pas leur accorder quelques moments de bonheur? Il attendit que les autres se lèvent de table, avant de les suivre dans le petit salon, expirant silencieusement pour chasser la tension dans son corps. Une demi-heure, pas davantage, et il leur dirait tout.

Margaret s'assit sur le tabouret rond du piano près de l'arbre de Noël, tandis que sa mère s'installait sur un fauteuil bas muni d'un dossier en forme d'éventail. Au bout d'un moment, monsieur Campbell et son fils, arrivant d'une pièce adjacente qui devait être la chambre à coucher d'Alan, entrèrent dans le petit salon.

Gordon dut se rappeler qu'Alan avait vingt-deux ans. En raison de sa posture voûtée et de sa démarche traînante, il paraissait plus vieux. Quand il fut assis, Alan rejeta ses épais cheveux noirs vers l'arrière et dévisagea Gordon.

Examinez-moi bien, Alan. Gordon resta où il était, se tenant debout dans l'embrasure de la porte, attendant la bonne occasion. Si Alan l'appelait par son nom, la vérité jaillirait sans qu'aucune promesse ait été brisée. Mais il ne vit aucune lueur dans les yeux noirs d'Alan qui aurait pu indiquer qu'il l'avait reconnu.

Plutôt que de s'asseoir sur un fauteuil, Gordon se déplaça vers l'arbre.

— Puis-je vous remettre mes présents?

Madame Campbell frappa ses mains ensemble.

— Le cher homme! Mais comment avez-vous fait?
dit-elle, ébahie, avant d'ouvrir le sien sans attendre, déchi-
rant le papier comme une enfant empressée. Oh, je voulais lire cela depuis de nombreuses années, l'assura-t-elle.
Depuis la naissance de notre Margaret.

Monsieur Campbell montra peu d'émotion quand il
défit la ficelle, mais une lueur d'appréciation brilla dans
ses yeux quand il déplia la carte.

— Très beau travail, dit-il.

Gordon fut heureux de constater qu'il avait fait un
bon choix, bien qu'il fût certain que la carte serait déchirée
en mille morceaux dès qu'il aurait révélé son nom. Avait-il
déjà connu un Noël pareil? Quand il plaça les cadeaux
d'Alan sur ses genoux, il craignit que le jeune homme ne
les lançât sur le plancher.

— Vous n'aviez pas besoin de m'inonder de cadeaux,
dit Alan sèchement.

Était-il insulté? Ou embarrassé? Gordon ne dit rien,
observant simplement Alan jeter un coup d'œil distrait au
stylo et ignorer complètement le papier à lettres. Il n'y eut
pas de remerciements, ce pour quoi Gordon fut soulagé,
sachant ce qui allait suivre.

Il restait un cadeau.

— C'est pour vous, mademoiselle Campbell.

Elle palpa soigneusement et examina le paquet
informe.

— Ce sont... hum.

Quand Margaret l'eut finalement ouvert, elle leva son
cadeau vers les autres.

— Des bougies, lança-t-elle.

— Comme c'est charmant, dit sa mère d'un ton qui n'était pas très convaincant.

— Il y a une note, expliqua Gordon, déjà désolé d'avoir donné à Margaret quelque chose d'aussi banal.

Elle la lut à haute voix, prononçant doucement chaque mot.

— « Un feu pour vous réchauffer, une lumière pour vous guider. »

Gordon hocha la tête.

— Je crois que j'ai écrit autre chose.

Elle regarda au bas de la feuille.

— « À Sa lumière, j'ai marché à travers les ténèbres. »

— Les mots ne sont pas de moi, dit Gordon.

Il attendit qu'elle lève les yeux, priant pour qu'elle comprenne.

— Mais ils disent la vérité, mademoiselle Campbell, reprit-il. Comme je dois le faire maintenant.

Chapitre 12

Je ne suis pas celui que j'étais autrefois.

— Horace

Gordon l'implora des yeux, avec son cœur. *Je vous en prie, Margaret. Je dois leur dire la vérité.*

— Non, gémit-elle.

Les bougies tombèrent de ses genoux.

Il les ramassa rapidement et se pencha aussi près d'elle qu'il eut l'audace de le faire.

— Je vous le demande, mademoiselle Campbell. Douze ans, c'est assez long.

— Assez long pour quoi? demanda Alan sèchement.

— Ce gentilhomme ne t'adressait pas la parole, dit madame Campbell d'un ton poli mais ferme.

Gordon remit les chandelles sur les genoux de Margaret, puis plaça doucement ses mains sur les siennes, plus longtemps qu'il n'eût peut-être convenu. Il voulait simplement la réconforter, l'assurer qu'il prendrait tout sur ses épaules.

Alors, il se redressa pour affronter les autres, priant afin de pouvoir compter sur une force bien plus grande que la sienne. *Ne crains rien, car je suis avec toi.* Les mots résonnèrent dans son cœur si bruyamment qu'ils semblèrent remplir la pièce.

— Je ne suis pas celui que vous croyez, commença-t-il, se tournant d'abord vers les parents de Margaret, puis vers Alan. Vous me connaissez en tant que monsieur Gordon, mais ce n'est qu'une partie de la vérité.

Madame Campbell fronça les sourcils, une profonde ride creusant son front.

— Quand Margaret vous a présenté, elle a dit… elle…

— Je sais, dit Gordon, qui baissa les yeux vers sa tête inclinée et le doux nœud de cheveux sur sa nuque. « Monsieur Gordon » est le nom que je lui ai donné.

— Finissons-en, dit monsieur Campbell. Quel est votre nom, monsieur ?

Gordon redressa les épaules, se préparant au pire.

— Je suis Gordon Shaw.

Un moment de silence s'ensuivit, puis un rugissement.

— *Vous !* cria Alan.

— Oui, dit Gordon en le regardant bien en face. Je suis celui qui vous a blessé il y a douze ans de cela. Je ne saurais assez m'excuser…

— Non, vous ne le pouvez pas, dit Alan, dont toute l'attitude reflétait la colère, tel un nuage de tempête noir et menaçant. Comment osez-vous ? Comment *osez-vous* venir dans cette maison ?

La furie du jeune homme vint s'abattre sur Gordon comme une vague déchaînée.

— Je n'aurais jamais dû...

Gordon déglutit et recommença, se tournant vers madame Campbell, qui paraissait encore plus bouleversée qu'il ne l'était lui-même.

— Je vous prie de m'excuser, madame. Je n'aurais jamais dû accepter votre hospitalité...

— Et pourtant, vous l'avez fait, dit monsieur Campbell, qui était debout maintenant.

— Monsieur, je voulais seulement...

— Vous avez pris place dans notre voiture. Vous avez mangé à notre table. Vous avez dormi dans notre chambre d'amis. Et vous avez laissé notre domestique vous servir.

La voix de l'homme était basse et tendue comme la corde de l'échafaud.

— Vous avez regardé notre Alan, notre fils unique, continua-t-il, et pourtant vous n'avez *rien* dit.

Gordon se sentait sur le point d'être malade. Chaque mot était vrai.

— En effet, je suis coupable de toutes ces choses.

Et j'ai trompé votre fille quand nous nous sommes rencontrés.

Quand son père s'approcha, Gordon ne broncha pas, se rappelant ce qui l'avait conduit jusqu'à cet instant. *Parle avec franchise et justesse.*

— J'avais bu beaucoup de whisky ce soir-là, leur dit Gordon, et il en avait encore le goût en bouche. Je n'aurais pas dû me trouver sur la patinoire et encore moins balancer une pierre de curling. Ce que j'ai fait était inconscient et très mal. J'ai essayé de m'excuser le jour suivant, mais...

Alan l'interrompit.

— Alors ou maintenant, vos excuses ne changent rien. Je suis toujours dans ce fauteuil.

Gordon s'efforça de regarder le garçon. Son visage creusé par la douleur. Son corps brisé.

— Je n'aurais jamais imaginé… *Oui, tu l'as fait.*

Gordon se reprit.

— C'est-à-dire, j'ai souhaité de tout mon cœur que vous vous soyez rétabli de votre blessure.

Le regard noir d'Alan le vrilla.

— Comme vous voyez, cela ne s'est pas produit.

Gordon soupira.

— C'est ce qui m'attriste par-dessus tout.

— Et pourtant vous êtes venu avec des cadeaux ? intervint monsieur Campbell, dont le visage était tacheté de rouge, en faisant un geste vers les présents de Gordon dispersés dans la pièce. Aviez-vous l'intention de vous attirer notre sympathie et d'adoucir le choc quand vous feriez votre confession ?

— Non, je voulais… *La vérité, Gordon.* Oui, peut-être l'ai-je fait un peu pour ça.

Le silence s'abattit dans le petit salon et l'air y semblait aussi froid que la neige qui tombait devant la fenêtre.

Après une pause qui s'éternisa, madame Campbell dit d'une voix prudente :

— Vos cadeaux étaient très bien, monsieur Shaw.

Son mari la regarda sévèrement, puis dit à Gordon :

— Je vous ai chassé quand vous avez frappé à notre porte il y a douze ans. Et hier, j'aurais fait de même, si j'avais su qui vous étiez.

Quand Margaret leva la tête, Gordon comprit ce qu'elle s'apprêtait à dire. *Moi, je le savais.* Il le devina dans ses yeux et vit sa bouche qui commençait à former les mots « Je savais… »

Non, jeune femme. Gordon s'interposa rapidement entre Margaret et ses parents.

— Vous avez tous les droits d'être en colère…

— En colère ? dit monsieur Campbell en hochant la tête de dépit. Vous sous-estimez la situation, monsieur Shaw. Rien de ce que vous pouvez dire ou faire ne réparera jamais le tort que vous avez causé.

— Je sais cela, monsieur…

Alan vociféra :

— Vous ne savez *rien* !

Il se pencha vers l'avant comme s'il était sur le point de bondir de sa chaise, s'il en avait été capable.

— Père, cet homme ne doit-il pas être arrêté pour son crime ?

— Allons, Alan, dit sa mère en s'empressant d'aller vers lui dans le bruissement de sa robe de taffetas, une expression tendre au visage. Nous étions tous d'accord alors, et le constable Wilson aussi. Ce qui est arrivé ce soir-là était un accident. Terrible, regrettable, mais tout de même un accident.

Gordon ferma les yeux, mais seulement un instant. *Dieu vous bénisse, madame.*

Margaret était debout maintenant, tout près derrière lui. Assez près pour sentir son haleine chaude sur sa nuque.

— Allez, dit-elle d'une voix basse.

Gordon se tourna et vit des larmes s'accumulant dans ses yeux bleus.

— Je suis désolé, mademoiselle Campbell. *De vous avoir induite en erreur. D'avoir brisé ma promesse. D'avoir ruiné votre Noël en famille.* Pour tout, dit-il simplement.

Margaret hocha la tête si faiblement qu'il crut l'avoir imaginé.

— Au revoir, murmura-t-elle, puis elle fit un pas en arrière pour lui livrer passage.

Allez.

Gordon s'inclina devant son hôtesse, puis passa devant monsieur Campbell et grimpa l'escalier vers la chambre d'invités deux marches à la fois. Bien sûr, il s'en irait, et le plus vite possible. Il enfila ses bras dans son pardessus de laine, s'empara de son sac de voyage et se hâta de redescendre l'escalier tout en essayant de se boutonner d'une seule main. Bien que son sac fût plus léger, son cœur ne l'était pas. Il avait dit la vérité et confessé ses péchés. Mais Alan avait raison. Même des excuses sincères ne pouvaient rien changer, surtout Alan lui-même.

Gordon entraperçut Margaret debout dans le petit salon, au milieu de l'éclat des bougies de l'arbre. Peut-être qu'en d'autres circonstances, ils auraient pu…

Non. Il ne fallait même pas y songer.

Il enfonça sa casquette de tweed sur sa tête et souhaita de nouveau avoir une écharpe pour protéger son cou du froid. Plus personne ne le séparait de la porte d'entrée, à l'exception de Clara, qui lui ouvrit avant de faire une rapide révérence sur son passage.

— Bonjour à vous, monsieur Gord… Bonne journée, monsieur.

La porte se referma derrière lui alors que la neige l'accueillait dans son étreinte glacée.

Chapitre 13

Les premières impressions sont difficiles
à effacer de l'esprit.

— Saint Jérôme

Par la fenêtre du petit salon, Meg observa Gordon lutter un moment pour ouvrir la grille en fer forgé, bloquée par la neige accumulée.

« Allez. » Un petit mot, à peine plus qu'un soupir, pourtant il devait être dit. Meg connaissait le caractère de son frère et voulait épargner le pire à Gordon. Mais maintenant qu'elle l'avait poussé à partir, qu'elle lui avait dit adieu, Meg sentit quelque chose en elle se fissurer, comme de la glace plongée dans l'eau chaude.

Gordon Shaw était un homme changé. Elle le comprenait maintenant. Même s'il avait révélé sa véritable identité à sa famille, il avait tenu parole et n'avait pas trahi son omission volontaire. Et quand il avait dit « Monsieur Gordon est le nom que je lui ai donné », c'était la vérité, mais pas l'entière vérité, qu'il avait cachée pour la protéger.

Meg savait qu'elle devait être reconnaissante, même soulagée. Mais elle avait plutôt la mort dans l'âme. *Vous n'êtes pas le seul à avoir trompé ma famille, monsieur Shaw.* Elle regarda la neige, un blanc brouillard vaporeux soufflant dans toutes les directions. Gordon avait déjà disparu de sa vue. Il se rendait sans doute à la gare pour s'informer. Ou au Golden Lion à la recherche d'un toit.

— Meg.

La petite main de sa mère se posa sur son épaule.

— Je me demandais… Y a-t-il quelque chose que tu ne m'as pas dit, ma chérie?

Elle hoqueta. *Elle savait.* Meg ne put se résoudre à se retourner pour la regarder en face. *Monsieur Gordon, de Glasgow.* Croyait-elle vraiment que sa mère ne se serait pas aperçue que sa propre fille avait été moins que franche?

Meg se prit les mains, les appuyant sur son estomac noué.

— Que… que voulez-vous dire, maman?

— Monsieur Shaw est un homme charmant, dit sa mère doucement, qui possède un esprit brillant et un cœur généreux. Je ne peux te reprocher d'être attirée par lui.

Meg se tourna enfin, bouche bée. C'était de *cela* que sa mère voulait parler.

— Vous ne pensez sûrement pas… dit-elle. Je ne pourrais jamais…

Le sourire de madame Campbell était mi-amer.

— Je suppose que non, puisqu'il est celui qui… a…

Meg jeta un regard vers le fauteuil vide de son frère, soulagée que son père l'ait déjà raccompagné hors de la pièce.

— Je ne peux faire cela à Alan, dit-elle finalement. De plus, je n'éprouve pas d'affection particulière pour monsieur Shaw. C'est un gentleman dont j'ai fait la connaissance à bord d'un train. Rien d'autre.

— Est-ce bien tout ? demanda sa mère en hochant la tête vers l'un des présents sous l'arbre. Je n'ai pas enveloppé celui-ci, et il y a son nom sur l'étiquette. C'est ton écriture.

La chaleur lui monta aux joues.

— Oui, mais... c'est... Noël.

— Bien sûr, dit sa mère.

Elle tendit la main vers le cadeau enveloppé d'un simple papier brun, mais prit plutôt celui qui était juste à côté.

— Moi aussi, j'avais trouvé quelque chose pour lui, admit-elle. Personne ne devrait célébrer la naissance du Seigneur les mains vides.

Meg fut touchée par cette délicatesse.

— Oui, mère.

— Trouve un endroit sûr pour eux, dit sa mère en déposant les deux paquets dans les bras de Meg. Ils ne servent à rien maintenant et mettront seulement ton frère en colère.

Quelques moments après, Meg s'agenouilla près de sa commode et tira le tiroir du bas. Encore une fois, son écharpe tricotée n'avait pas trouvé preneur. La couleur bleu bruyère se serait pourtant bien harmonisée aux cheveux roux clair de Gordon, et sa laine l'aurait réchauffé.

Elle l'imaginait en train de nouer l'écharpe autour de son cou, un sourire s'épanouissant au-dessus de son menton barbu.

Pardonne, et tu seras pardonné. Meg s'irrita au rappel subtil. À qui devait-elle pardonner? À *Alan.* La réponse vint si spontanément qu'elle ne pouvait la rejeter. Ni l'accepter. Pardonner à son frère, dont le caractère querelleur l'avait chassée de la maison quelques années auparavant?

Non. Meg referma vivement le tiroir, donnant libre cours à sa frustration, puis descendit l'escalier. La famille était de nouveau réunie dans le petit salon, faisant comme si rien ne s'était passé. Comme si un homme ne venait pas d'être chassé dans le matin froid et neigeux, comme de la poussière au bout d'un balai.

Sa mère attendait près de l'arbre de Noël et lui tendait les mains.

— Viens, ma chérie. Nous avons des cadeaux à ouvrir.

Meg fit une pause à la porte du petit salon. *Noël.* Pouvait-elle vraiment célébrer, après tout ce qui s'était produit? Elle s'ennuyait déjà de Gordon. Bien qu'ils eussent fait connaissance à peine vingt-quatre heures auparavant, il avait produit une profonde impression sur elle, comme une empreinte de doigt dans de l'argile meuble.

Quand elle parcourut la pièce du regard, Meg comprit que les cadeaux de Gordon n'étaient plus là. Sa mère les avait sans doute remisés à la cuisine afin de leur trouver un usage plus tard. Mais Meg était désolée de ne pas avoir ses chandelles en souvenir de lui, avec la note qui les accompagnait, quelques traits d'encre tracés avec énergie sur le papier.

À Sa lumière, j'ai marché à travers les ténèbres! La perte de sa réputation, la mort de ses parents, la difficulté de démarrer une nouvelle vie à Glasgow, avec ses sept cent mille âmes — des jours sombres en effet pour un homme qui avait suivi Dieu. Gordon était venu à la place Albert en recherchant le pardon. Avait-elle fait montre à son endroit d'un tant soit peu de miséricorde? L'un d'eux l'avait-il fait?

Meg se rassit sur le tabouret du piano, puis s'approcha de son frère, se promettant d'être aimable envers lui, comme Gordon avait essayé de le faire. Lorsqu'ils étaient enfants, elle et Alan prenaient soin l'un de l'autre. Ne pourraient-ils pas se montrer mutuellement agréables une seule journée?

Alan la regarda de biais.

— Je l'avais reconnu, tu sais, dit-il. Dès l'instant où je l'ai vu.

Meg ne se laissa pas duper. Si Alan avait nourri le moindre doute sur la véritable identité de Gordon, il l'aurait crié sur les toits.

— Il y avait quelque chose de familier dans ses yeux, dit-elle pour l'apaiser.

Et n'en parlons plus, Alan.

— C'est Noël, leur rappela leur mère, avant de leur remettre leurs cadeaux.

Les chandelles brillaient sur le manteau de la cheminée, l'arôme de cannelle flottait dans l'air, et pendant un bref moment, Meg oublia les nombreux mots blessants qui avaient été dits dans cette maison et ouvrit son cœur à l'esprit des Fêtes.

Elle développa une paire de gants d'agneau offerte par son père, puis une broche de petites perles fines donnée par sa mère, et finalement, de la part d'Alan, sa première boule à neige. Même si elle savait que c'était sa mère qui l'avait choisie et que l'argent de son père l'avait payée, Meg remercia néanmoins Alan avec effusion. Elle renversa le globe de verre au plomb, puis le remit à l'endroit pour voir les petits fragments de porcelaine virevolter autour d'un cottage de céramique qui ressemblait beaucoup à leur propre maison.

— Mes élèves vont être émerveillés de le voir, comme moi-même, dit-elle à son frère en le déposant délicatement sur la plus proche table de coin, afin que tous puissent l'admirer.

Quand la cloche de Park Church commença à carillonner, le papier d'emballage devenu inutile avait été jeté au feu, la ficelle enroulée pour l'année suivante, et Clara avait déjà remis le petit salon en ordre.

Meg passa son manteau sur ses épaules en réfléchissant à la manière dont son frère braverait la neige.

— Devrions-nous demander à père d'apporter ton traîneau, Alan?

— Non, grommela-t-il. Je n'ai pas envie d'une promenade en traîneau, encore moins de chants de Noël.

La lumière se retira un moment des yeux de sa mère.

— Très bien, dit-elle à Alan en tapotant son épaule. Clara veillera à tes besoins pendant que nous serons partis.

Meg voulut pincer l'oreille de son frère au passage, comme elle faisait souvent jadis. *Sois gentil, Alan. C'est Noël, après tout.*

Normalement, Park Church n'était qu'à quelques minutes de leur porte. Toutefois, ce jour-là était tout sauf ordinaire. Meg se plaça entre ses parents alors qu'ils se dirigeaient vers le chemin Dumbarton, levant leurs manteaux ou leurs jupes pour plonger leurs bottes dans la haute neige, saluant leurs voisins au passage.

D'enthousiastes « Joyeux Noël ! » résonnaient dans l'air, alors que des enfants de tous âges se lançaient dans les montagnes de neige avec abandon.

En les observant, Meg s'ennuya soudain de ses élèves. Dans une quinzaine de jours, elle serait de retour dans sa salle de classe remplie de garçonnets et de fillettes qui n'avaient pas encore douze ans. Elle leur enseignait non seulement à lire, à écrire et à compter, mais aussi la grammaire, l'histoire et la géographie. Un travail exigeant, pourtant elle s'y plaisait et adorait les enfants aussi, même s'ils mettaient parfois sa patience à rude épreuve. Le soir venu, la neige aurait sûrement cessé, et les trains recommenceraient à circuler. Elle pourrait rentrer à Édimbourg et préparer le prochain semestre.

Bien qu'elle fût heureuse de passer l'après-midi avec ses parents, Gordon Shaw n'était jamais très loin de ses pensées. Avait-il trouvé un endroit où loger ? Une chambre confortable ? Un repas chaud ? Elle n'aimait pas l'idée qu'il passât Noël tout seul.

Meg regarda en direction de la rue King. Était-ce seulement hier qu'ils marchaient ensemble entre les rails, portant le petit Tam ?

Hélas, Gordon l'avait écoutée. « Allez. »

Chapitre 14

Plus nous en savons, mieux nous pardonnons.

— Madame de Staël

— Avez-vous déjà vu autant de neige, père ? demanda Meg.

Elle regarda les amas de neige entassés contre le mur de la ville alors qu'ils escaladaient la côte abrupte menant à la halle au blé.

— Oui, répondit-il. L'année où l'on a fini la construction de l'église, mais tu n'étais encore qu'une petite fille.

Il se tourna vers les pignons gothiques et le clocher en hauteur de Park Church.

— Il y avait de la neige au-dessus des rebords des fenêtres, expliqua monsieur Campbell, et la porte était à moitié ensevelie.

Alors qu'ils approchaient de la grande porte d'entrée en face du mur, elle leva les yeux vers la rosace du pignon nord. Elle repensa aux jours où elle s'assoyait dans son banc chaque dimanche pour compter les panneaux des vitraux, qui se déployaient autour du centre comme les rayons d'une roue d'attelage. « J'ai manqué trop de services religieux récemment. » C'est ce qu'elle avait dit à Gordon, mais la vérité, c'était qu'elle n'était pas allée à l'église depuis des mois.

Souviens-toi du jour du sabbat. Meg n'avait pas oublié, mais elle avait été négligente. Elle posa la main sur la pierre du portail cintré, décidant qu'il s'agissait du jour parfait pour recommencer à neuf. *Je me souviendrai de tes merveilles d'autrefois.*

— Nous sommes à temps pour la prière d'introduction, dit sa mère en murmurant.

Ils franchirent le seuil avec une attitude respectueuse et avancèrent dans le sanctuaire.

Au milieu des murs de plâtre et des colonnes en fonte, une centaine de visages familiers attendaient. Edith Darroch et Johnny étaient là. Monsieur Dunsmore, l'horloger, ainsi que sa femme grassouillette et leurs quatre enfants potelés occupaient un banc entier.

Madame Corr fit une brève apparition, s'assoyant à l'extrémité du banc des Campbell avant d'aller rejoindre sa famille. Tout en remettant ses lunettes en place, elle informa sa mère des dernières nouvelles de la gare de Stirling. Meg n'en rata pas un mot. Des trains arrêtés par la neige en amont et en aval sur les rails de la Caledonian. Leur convoi, toujours immobilisé là où il avait été abandonné la veille. Monsieur McGregor tombé malade. Pas de bonnes nouvelles de ce côté-là non plus.

Le peu de chaleur que l'église pouvait offrir n'était pas à la mesure du froid glacial au-dehors. Les paroissiens frissonnaient sur les bancs, leurs manteaux boutonnés jusqu'au menton, claquant des dents tout en se saluant avec de petits hochements de tête. Quand le révérend Duncan les invita à la prière, le silence se fit dans le sanctuaire et sa requête fut observée du premier au dernier banc.

Meg inclina la tête et respira doucement. Le silence lui rappelait celui de la campagne paisible où elle marchait la veille. Elle écouta, les yeux fermés, alors que les mots tombaient sur elle comme de la neige fraîche.

— Père céleste, nous sommes réunis pour célébrer la naissance de Ton Fils, notre Sauveur.

La tension en elle commença à se dissiper lentement. Elle entendit la voix du révérend, mais, plus profondément encore, une autre voix, plus tendre encore. *Je t'ai aimée d'un amour éternel.* Des larmes lui montèrent aux yeux, menaçant de se répandre sur ses genoux. Meg connaissait cette voix, ces mots, leur signification. Un autre jour, elle aurait pu résister à Son amour, consciente d'en être indigne. Mais par un matin de Noël, dans un sanctuaire illuminé à la chandelle qu'elle connaissait depuis son enfance, Meg ne pouvait se refuser à Lui. Et elle ne le voulait pas non plus. *Avec un amour tendre, je t'ai attirée.* Sa respiration devint plus profonde et une chaleur monta en elle, en dépit de la température glaciale.

Quand le révérend Duncan dit : « Amen », Meg leva la tête et éleva son cœur, prête à vénérer le Christ né ce jour-là. *Je suis heureuse d'être ici, mon Dieu.*

Des passages des livres de la Genèse et d'Isaïe furent lus, qui racontaient des histoires d'Adam et du Fils de Dieu, de péchés et de rédemptions. Des chants des siècles passés furent entonnés sans livre de cantiques ni orgue, les paroles se déversant des gorges avec toute l'allégresse des Fêtes.

> Il est né le divin enfant
> Jouez hautbois, résonnez musettes
> Il est né le divin enfant
> Chantons tous son avènement

Quand le révérend évoqua l'évangile de Luc, puis celui de Matthieu et celui de Jean, l'antique récit revint à la vie. Une servante de Dieu dit : « Regardez », et Joseph apprend qu'il n'y a pas de place pour eux à l'auberge ; les anges chantent : « Gloire à Dieu au plus haut des cieux » ; et les Rois mages voient l'étoile et leur cœur se remplit d'allégresse.

Meg fut bouleversée, comme les bergers, les anges et les sages l'avaient été. *Chantons tous son avènement !* Elle n'avait jamais chanté avec autant de conviction.

> Peuple fidèle
> Le Seigneur t'appelle
> C'est fête sur terre, le Christ est né
> Viens à la crèche voir le Roi du monde
> En lui viens reconnaître ton Dieu, ton Sauveur

Après que la dernière note se fut évanouie et que l'assemblée eut commencé à se diriger vers la porte, l'esprit des chants de Noël continua d'interpeller Meg — deux mots en particulier, et assez nettement. « Paix. » « Pardon. » Elle fronça les sourcils en pensant soudain à Alan. *Tu devrais lui pardonner et le réconforter.* Même s'il n'avait pas fait la paix avec personne autour de lui ? Même s'il n'avait jamais demandé pardon ? *Oui, même alors.*

Quand la porte de l'église tourna sur ses gonds, Meg leva les yeux et constata que la chute de neige avait cessé. Le vent était tombé aussi. Une pâle lumière illuminait le ciel gris.

— Avez-vous vu cela ? s'exclama madame Corr, renversant la tête vers l'arrière pour contempler le spectacle.

Son chapeau glissa et tomba dans la neige. En un clin d'œil, ses enfants s'emparèrent de son bonnet de feutre brun. Ils s'enfuirent en poussant des cris perçants et en le lançant dans les airs.

— Regardez ce que j'ai fait, se lamenta-t-elle, avant de partir à leur poursuite. Monsieur Corr est à la gare de chemin de fer, lança-t-elle par-dessus son épaule. Je vous ferai prévenir dès que les trains se remettront en marche, dit-elle à l'intention de Meg. Je sais que vous avez bien hâte de rentrer à Édimbourg.

Meg lut la déception dans le visage de sa mère. Est-ce qu'une autre journée à la maison serait si pénible pour sa fille ?

— J'ai l'intention de passer le lendemain de Noël à Stirling, annonça Meg, se surprenant elle-même et étonnant ses parents en même temps.

— Merci pour tout, madame Corr, dit sa mère, qui avait retrouvé le sourire, avant de s'accrocher au bras de son mari et à celui de Meg. Nous ferions mieux d'y aller, Alan doit commencer à s'impatienter.

Alors qu'ils rentraient à la maison en pataugeant dans la neige, Meg réfléchissait à ce qu'elle pourrait faire ou dire pour améliorer ses rapports avec son frère. *J'ai de l'affection pour toi.* Oui, c'était la chose la plus importante qu'il avait besoin d'entendre. En imaginant Alan tel qu'il était à dix ans — heureux, rieur, enjoué —, ces mots lui viendraient plus facilement.

Clara les accueillit à la maison avec une théière fumante.

— Madame Gunn servira le repas à quatorze heures.

Meg baissa le regard vers son corsage de flanelle grise avec ses nombreux petits plis et souleva la montre qui y était épinglée. *Presque midi.* Elle aurait amplement le temps de s'asseoir avec Alan et de mettre les choses au point. S'il n'avait rien à répondre — ou s'il se montrait trop rétif —, elle se réfugierait dans sa chambre à coucher jusqu'à ce que le repas soit servi.

Quand son père se dirigea vers l'escalier, Meg saisit le coude de sa mère et l'attira à l'écart, profitant de l'isolement relatif du hall d'entrée.

— Maman, lui expliqua-t-elle à voix basse, j'aimerais parler avec Alan avant que nous mangions. Nous sommes brouillés depuis trop d'années.

Sa mère se frappa dans les mains, et une expression tendre se forma sur son visage.

— Il y a si longtemps que je souhaite votre réconciliation, dit-elle. Va voir ton frère dans le petit salon, et je verrai à ce qu'on ne vous dérange pas.

Meg s'arrêta devant le miroir du corridor pour replacer ses cheveux et redonner un peu de couleur à ses joues en les pinçant. Puis elle passa ses mains humides sur sa jupe et entra dans le petit salon. Bien qu'il fût vide pour l'instant, elle pouvait entendre son père dans la pièce adjacente, qui aidait Alan à se lever, assurant son fils qu'il le tenait solidement.

Avec les années, les visites des quelques amis d'Alan s'étaient raréfiées, et son frère passait souvent la totalité de ses journées dans sa chambre à coucher. Celle-ci était contiguë au petit salon et située en face de la cuisine. C'était une grande pièce dotée de basses tablettes qu'il pouvait atteindre sans aide. Alan les avait chargées de cartes à jouer, de figurines qu'il sculptait dans du bois de sapin ou de pin, de jeux d'échecs et de backgammon, et de tous les gadgets mécaniques et babioles étranges que son père lui rapportait.

Quand la porte adjacente s'ouvrit, Alan afficha un air circonspect.

— Tu veux me parler ? demanda-t-il.

— Oui, répondit Meg, et elle échangea un regard avec son père.

Elle vit de l'espoir dans les yeux de ce dernier, de l'appréhension aussi. Il fit asseoir Alan dans le fauteuil le plus confortable, puis il en approcha un autre à son intention. Elle attendit qu'il eût fermé la porte avant de s'asseoir en face d'Alan. Seule une petite table en équilibre sur ses pattes grêles les séparait.

— J'ai beaucoup aimé le cadeau que tu m'as offert, commença-t-elle.

Elle souleva sa boule à neige pour observer les particules tomber doucement sur le cottage miniature.

Le regard d'Alan était terne, sa voix dépourvue de timbre.

— Maman a pensé que tu aimerais cela, dit-il simplement.

Meg hocha la tête, se demandant comment enchaîner. Elle ne pouvait dire simplement : « Je te pardonne d'avoir un caractère impossible ». Alan serait offensé à juste titre. Puis elle se souvint de ce qu'elle voulait qu'il sût par-dessus tout.

— Alan, tu sais que je t'aime beaucoup. Énormément.

Il faillit s'étouffer.

— Est-ce pour me dire cela que tu m'as convoqué ici ?

— En fait…

Elle s'arrêta avant que le ton réprobateur de l'institutrice n'aigrisse sa voix. *Aimez-vous les uns les autres. Oui, seulement de l'amour.* Peut-être que si elle admettait une faute ou un défaut et lui demandait pardon, sa franchise serait la preuve la plus tangible de son affection pour lui.

Meg humecta ses lèvres sèches. Elle passa en revue les failles de son caractère et les nombreuses erreurs qu'elle avait commises récemment, cherchant quelque chose de significatif aux yeux d'Alan.

Monsieur Gordon, de Glasgow. Son dos se raidit. *Non, non.* Elle ne pouvait parler de cela avec Alan. Il ne lui pardonnerait jamais. Mais sa conscience ne pouvait être réduite au silence. *Alan est celui qui a été le plus blessé.*

Non ! Si elle le disait à son frère, toute la maisonnée saurait qu'elle leur avait menti effrontément, permettant précisément à l'individu abhorré de tous de franchir le seuil de leur porte. *S'il vous plaît, mon Dieu.* Meg avait de la difficulté à respirer tant sa poitrine était opprimée. *S'il vous plaît, je ne peux pas.*

Alan était légèrement penché vers l'avant maintenant, l'indifférence ayant fait place à une légère inquiétude.

— Meg, est-ce que ça va ?

— Non, répondit-elle en cachant son visage dans ses mains. Alan...

Elle ne savait pas par où commencer, comment expliquer.

— Je suis... si désolée.

— Désolée pour quoi? demanda-t-il sèchement, redevenu lui-même.

Elle baissa les mains, sachant qu'elle devait le regarder dans les yeux et dire la vérité.

— Alan, quand Gordon Shaw nous a accompagnés à la maison de la gare de chemin de fer, je savais déjà qui il était.

Les yeux sombres de son frère se fixèrent sur elle.

— Tu le savais? Et tu n'as rien dit?

— Oui... enfin, non, bégaya-t-elle.

Elle s'adossa à son fauteuil afin de s'éloigner un peu de lui.

— Je l'ai appelé «monsieur Gordon» à la gare, car je voulais l'empêcher de venir ici.

Comme sa tentative sonnait creux à ses propres oreilles! Elle présenta les paumes de ses mains, un silencieux plaidoyer pour obtenir le pardon.

— Ne vois-tu pas... dit-elle.

Alan abattit son poing sur la table.

— Tu le *savais*?

— Oui, murmura-t-elle. Jamais je n'aurais pu imaginer que maman l'inviterait à venir à la maison avec nous. Que tu le verrais...

— Le *voir*? J'ai *accepté un cadeau* des mains de cet homme! cria Alan, et chaque mot était chargé de douleur.

Elle tendit la main vers lui, ne pensant qu'au petit frère qu'elle avait tenu sur ses genoux un certain jour d'hiver.

— Oh, Alan, Alan, je suis si désolée…

— Éloigne-toi de moi!

Il interposa son bras puis agrippa le bord de la petite table et la lança dans la pièce, faisant voler tout son contenu dans les airs.

— Alan, *non*!

Meg se cacha le visage dans les mains pour ne pas voir les figurines de porcelaine s'écraser contre le mur et retomber au sol en miettes. Le silence qui suivit était encore plus effrayant. Meg baissa les yeux et vit sa boule à neige rouler à ses pieds. La base de céramique noire était fissurée, le sceau brisé. Une flaque d'eau était répandue sur le tapis.

Meg se mit à pleurer.

— Alan, qu'as-tu fait?

Leur mère entra en trombe dans le petit salon.

— Mais qu'est-ce qui se passe ici? J'ai entendu…

Les yeux agrandis, elle contemplait le gâchis.

— Alan, tu n'as pas… Tu ne peux avoir fait cela volontairement.

Il pointa un doigt en direction de Meg.

— C'est contre *elle* que vous devriez être en colère.

Elle savait que cet homme était Gordon Shaw.

— Mère…

Meg se leva, et ses genoux tremblaient. Elle voulait aller vers elle, lui prendre la main, s'excuser. Mais le plancher entre elles était couvert de débris.

— Elle vous a menti, grogna Alan. À moi. À nous tous.

Le reste de la maisonnée était maintenant rassemblé dans l'embrasure de la porte et regardait avec consternation les chères figurines de madame Campbell fracassées.

Son père parla, et sa voix était calme, distante.

— Margaret, est-ce vrai ? Nous as-tu délibérément trompés ?

Elle s'effondra dans sa chaise.

— Je l'ai fait. Je l'ai fait. Et je n'arrive même pas à me rappeler pourquoi.

Personne ne parlait. Personne ne bougeait. Finalement, madame Gunn demanda doucement.

— Mangerez-vous à quatorze heures, alors ?

Meg regarda sa mère avec des yeux tristes tandis qu'elle se tournait vers les domestiques et hochait négativement la tête.

— Rentrez chez vous, madame Gunn. Et vous aussi, Clara. Passez Noël dans vos familles. Demain, peut-être, nous serons d'humeur à apprécier le festin que vous avez préparé. Mais pas aujourd'hui.

Chapitre 15

Une bonne conscience est un Noël perpétuel.

— Benjamin Franklin

Gordon piqua de sa fourchette la tranche de mouton flasque dans son assiette, puis coupa les pommes de terre tièdes. De la nourriture, oui, et servie à Noël, mais qui n'avait rien à voir avec un vrai repas de Noël.

Il jeta un coup d'œil aux fenêtres de l'auberge faisant face à la rue King, maintenant noires avec la tombée de la nuit. Heureusement, la neige s'était arrêtée, ce qui était de bon augure pour un voyageur en rade, qui n'attendait que le moment d'attraper le premier train du matin pour Édimbourg.

À l'autre bout de la salle à manger du Golden Lion, une voix masculine tonna :

— Si vous n'êtes pas Gordon Shaw, je lance mon chapeau dans la soupe du chef et j'en fais mon souper !

Peu après, un homme entre deux âges, dont la taille et le poids ne devaient pas dépasser la moitié de ceux de

Gordon, marcha jusqu'à sa table et s'assit sur la chaise vide en face de lui.

Gordon le regarda avec étonnement.

— Monsieur, lui demanda-t-il, avons-nous eu l'honneur d'être présentés ?

— Oui, mais vous étiez trop jeune pour vous rappeler, dit l'homme en tendant la main. Archibald Elder.

Il commanda un bol de soupe au garçon, puis enfouit le bout d'une serviette de table dans le col de sa chemise.

Sa barbe d'un jour et les bords râpés de ses vêtements trahissaient un célibataire menant une existence frugale, sans femme ni valet pour soigner son apparence. Des taches d'encre sous ses ongles identifiaient l'imprimeur de profession, et sa voix était celle d'un « fils du rocher » qui avait grandi à Stirling. Malgré tout, Gordon n'arrivait pas à le replacer.

— Comment se fait-il que vous me connaissiez, monsieur Elder ? demanda-t-il enfin.

L'expression joviale de l'homme s'assombrit.

— Vous êtes le portrait tout craché de votre père, dit-il.

Ébranlé, Gordon déposa sa fourchette.

— Vous connaissiez Ronald Shaw ?

— Je l'ai connu, que Dieu ait son âme, dit Archibald, qui s'inclina vers l'avant, laissant voir son crâne dégarni réfléchissant la lumière de la lampe. Vous n'étiez qu'un garçonnet quand Ronald et moi avons commencé à travailler ensemble à l'imprimerie du *Stirling Observer*. Il vous aimait par-dessus tout. Il vous amenait partout avec lui.

Gordon déglutit.

— Oui, je me rappelle, dit-il pensivement.

Des souvenirs longtemps refoulés le submergèrent : alors qu'il se rendait avec son père à sa première projection de diapositives; ou qu'il partageait avec lui un sac d'écorces d'oranges confites; ou qu'il visitait la halle au blé une journée de négoce animée.

— Quand l'avez-vous vu pour la dernière fois? demanda Gordon à son interlocuteur.

— Deux mois avant sa mort, dit Archibald, qui se redressa sur sa chaise alors que le garçon déposait devant lui un bol de soupe *cock-a-leekie*[4] à l'arôme savoureux. J'étais à Carlisle par affaires et je l'ai croisé dans la rue. Il n'a parlé que de vous, Gordon.

— Oh? fit-il, et son cœur se serra.

— Ronald m'a dit que vous viviez à Glasgow et que vous y aviez une belle situation.

Archibald prit sa cuillère et ajouta :

— Votre père était extraordinairement fier de vous.

Gordon ne pouvait croire ce qu'il entendait. *Fier? D'un fils qui s'était enfui dans la honte?*

Archibald mangea sa soupe, sa cuillère décrivant des mouvements de va-et-vient, du bol à ses lèvres.

— Il a conservé toutes vos lettres, dit-il entre deux bouchées. Il était au courant de vos études universitaires. Et de votre emploi au *Herald*. Il a dit que vous aviez une belle plume.

Gordon ne put en tolérer davantage.

— Mais mes parents ont dû quitter Stirling à cause d'une chose que j'avais faite.

---

4. N.d.T. : Soupe traditionnelle écossaise au poulet et aux poireaux.

Le visage de son compagnon de table exprima la plus complète confusion.

— Est-ce ce qu'ils vous ont dit ?

Gordon haussa les épaules, souhaitant n'avoir rien dit.

— Ils ne l'ont jamais exprimé en mots, mais…

— Eh bien, je connais la vérité, dit Archibald en pointant vers Gordon sa cuillère vide. Votre père a perdu son emploi à l'*Observer*. Pas à cause de ce que vous auriez pu faire. Ni par sa propre faute, d'ailleurs.

La nouvelle frappa Gordon comme un coup de poing.

— Comment est-ce possible ? Personne ne travaillait plus fort que mon père.

— Monsieur Jamieson, le propriétaire, a embauché l'un de ses cousins, ce qui a poussé votre père à la rue, sans aucun moyen de subvenir aux besoins de sa famille. Il avait honte, mais pas à cause de vous.

Gordon secoua la tête, essayant de tout mettre en place.

— J'étais déjà parti pour Glasgow alors.

— Oui, je l'imagine aisément, après cet accident malheureux avec le petit Campbell. Quand votre père a trouvé du travail à Carlisle, en Angleterre, il a immigré avec votre mère.

Gordon s'adossa sur sa chaise, interloqué.

— Je ne leur ai jamais demandé pourquoi ils avaient déménagé. J'ai simplement supposé… j'ai pensé…

— *Oh !* fit Archibald en mettant sa soupe de côté. Votre père ne voulait pas vous inquiéter. Il savait que vous aviez vos propres difficultés à surmonter.

Puis sa bouche s'épanouit en un grand sourire.

— Vous y êtes très bien arrivé, à ce que je vois.

Pas autant que vous pourriez le croire, monsieur Elder.

— Le Seigneur vous a-t-il gratifié d'une épouse ? D'un descendant ou deux ?

Gordon secoua la tête, la peau sous son col de chemise commençant à s'échauffer.

— Le métier de journaliste ne s'accorde pas toujours bien avec le mariage, expliqua-t-il. Les longues heures de travail. Les fréquents déplacements. À Glasgow, je vis dans un logement de quatre pièces. Bien des dames s'y sentiraient à l'étroit.

— Pas si cette dame vous aime, dit Archibald en sortant une poignée de monnaie pour son dîner, qu'il plaqua sur la table. Quand l'âme sœur se présente, toutes les bonnes raisons de ne pas se marier s'envolent par la cheminée.

Il se leva, puis enfonça sa casquette de laine sur son crâne chauve.

— Joyeux Noël, mon garçon, lança-t-il en guise d'adieu.

Sur ce, Archibald Elder prit congé, disparaissant aussi subitement qu'il était arrivé.

Gordon l'observait toujours quand le garçon réapparut.

— Prendrez-vous autre chose, monsieur ? demanda-t-il à Gordon. Le chef prépare un excellent plum-pudding.

Gordon déclina l'offre puis chercha son porte-monnaie.

— Ce n'est pas nécessaire, monsieur.

Le garçon compta l'argent qu'Archibald avait déposé près de son assiette.

— Il en a laissé assez pour vos deux repas, dit-il. Un homme généreux, n'est-ce pas ?

— Oui, répondit Gordon. *Mais mon père l'était encore plus.*

Gordon plissa les yeux pour regarder sa montre de poche, éclairée par une unique lampe à huile sur le meuble bas. Il aurait souhaité voir les aiguilles bouger plus vite. *Cinq heures cinq.* Le train du matin pour Édimbourg ne partirait pas avant deux autres heures. Et le soleil ne montrerait son pâle visage hivernal que deux heures après.

Assis sur le bord de son lit, il passa une main fatiguée sur sa barbe. Il avait mal dormi, mais ce n'était pas à cause de son repas insipide ni en raison de son matelas plein de bosses. C'est son esprit qui fonctionnait à vive allure, repensant à tout ce qu'Archibald lui avait dit. « Votre père était fier de vous. » Le débit de sa voix quand il l'avait dit et l'absolue franchise de son visage taillé à la serpe resteraient à jamais gravés dans la mémoire de Gordon.

Manifestement, il n'avait pas croisé le chemin d'Archibald Elder par hasard. *Les rencontres de l'homme sont l'œuvre de Dieu.* La conversation de la veille était un cadeau du Tout-Puissant — et elle avait eu lieu à Noël. Aucun présent enveloppé avec du papier et de la ficelle ne pourrait jamais surpasser cela.

Gordon soupira bruyamment dans la pénombre de la pièce, pensant à un autre cadeau — celui que Margaret Campbell avait placé sous l'arbre familial. Un geste poli sans plus ? Ou y avait-il quelque chose de plus ? Il avait vu le paquet plat avec l'étiquette portant son nom et un autre plus petit à côté, adressé par une main élégante. De sa mère, sans doute.

Reverrait-il les Campbell un jour? Et Margaret?

Il ne la connaissait que depuis un jour à peine, pourtant il ne pouvait s'empêcher de penser à elle. Oui, elle était jolie, mais son charme allait bien au-delà de ses yeux d'un bleu profond. Elle avait une intelligence vive et un caractère indépendant qui s'accordait au sien. Elle ne craignait pas non plus de dire le fond de sa pensée. «Allez.» Elle exprimait clairement ses désirs, sinon ses sentiments.

Quoi qu'il en soit, elle avait enveloppé ce présent pour lui. Il n'oublierait pas cela de sitôt.

Ronald Shaw lui avait aussi fait plusieurs cadeaux, se remémora Gordon. Son père lui avait légué son nom, ses possessions matérielles et son argent. Gordon fouilla dans son sac de voyage pour prendre plusieurs lettres qui n'avaient pas encore été ouvertes, incluant son relevé de compte de la Banque Royale, qui indiquait le solde de son héritage, encore intouché.

Il déplia la feuille et considéra la somme. *Qu'auriez-Vous voulu que je fasse avec cela, Père?* La question n'était pas adressée à l'homme enterré à Carlisle, mais à son Père céleste, et la réponse fut aussi rapide que décisive. *Celui qui donne, qu'il le fasse avec simplicité.*

Gordon se leva et commença à marcher devant la fenêtre, comme si le fait de regarder le ciel nocturne précipiterait le lever du soleil. Les banques seraient fermées le lendemain de Noël, mais les boutiques en ville bourdonneraient d'activité dès dix heures — le moment où il estimait que les Campbell se rendraient à King's Park. À ce moment-là, l'étang de curling serait bondé de joueurs et entouré de spectateurs qui tenteraient de profiter au maximum des heures d'ensoleillement.

Allez. Cette fois-ci, ce n'était pas Margaret qui l'invitait à partir, mais une voix plus insistante. *Allez.*

Sa poitrine se serra. Les Campbell ne l'attendraient pas — Margaret encore moins. Et même s'il avait visité King's Park plusieurs fois en imagination, il ne l'avait pas fait depuis l'accident. Oserait-il se présenter au début du tournoi de curling ? Et offrir à Alan son héritage longtemps négligé en guise de réparation ?

Vous serez fier de moi encore une fois, Père.

Gordon s'arrêta près de la fenêtre, son souffle embuant les vitres glacées. Oui, il ferait cela. Il resterait à l'hôtel pour le petit-déjeuner. Puis il réserverait une place sur un train partant plus tard pour Édimbourg et laisserait son sac de voyage à la consigne. La promenade jusqu'à King's Park lui prendrait un peu plus d'une demi-heure. Une fois là-bas, décida Gordon, il chercherait Alan…

Non, Margaret d'abord. Afin qu'elle ne crût pas qu'il essayait d'acheter son affection ou l'approbation de ses parents avec ce don à son frère, il amènerait Margaret à l'écart pour lui dire adieu. Il valait toujours mieux fermer les portes doucement que les claquer.

Mais qu'as-tu l'intention de lui dire, Gordon Shaw ? Au revoir ?

Chapitre 16

Celle qui a écouté une fois écoutera deux fois ;
Son cœur, assurément, n'est pas de glace.

— George Gordon, Lord Byron

Meg était debout près du bord de l'étang gelé, regardant distraitement les hommes balayer la surface en préparation du premier match de curling. L'air était sec et calme, mais le froid était toujours mordant. Avant de quitter la maison, elle s'était enveloppé la tête dans toutes les écharpes de laine qu'elle avait pu dénicher — à l'exception de celle bleu bruyère dans le tiroir du bas de sa commode.

Si elle manquait d'élégance, était-ce si important ? Gordon devait sûrement être à Édimbourg maintenant. Elle aurait difficilement pu lui reprocher d'avoir honoré sa requête. « Allez. »

La gorge de Meg se serra. Gordon Shaw n'avait pas ruiné leur Noël. Elle s'en était chargée. Bien qu'elle se fût excusée à satiété, elle ne pouvait rien changer au fait qu'elle avait menti aux personnes qu'elle aimait le plus.

«Pardonnez-moi.» Elle l'avait dit encore et encore avec sincérité, pourtant ses mots ne pouvaient défaire ses actions irréfléchies. Sa mère s'était montrée compréhensive mais avait été blessée. Le désappointement muet de son père était encore plus difficile à supporter. C'était Alan, toutefois, qui l'avait fait le plus souffrir.

« Et tu prétends être ma sœur », avait-il tonné. «Comment oses-tu affirmer avoir de l'affection pour moi après avoir commis un geste aussi haineux?»

Lorsque les mots et les larmes furent épuisés, les Campbell s'étaient retirés pour panser leurs blessures. Son père était allé faire une longue promenade, son frère s'était réfugié dans sa chambre, tandis que sa mère avait passé l'après-midi dans la cuisine, mettant au frais leur repas de Noël intouché.

Clara étant partie, Meg avait rangé elle-même le petit salon. Elle avait ramassé les éclats de porcelaine et balayé le plancher, puis s'était agenouillée sur le tapis pour éponger la flaque laissée par sa boule à neige brisée. En travaillant, elle avait cherché le pardon de Celui qui ne l'avait jamais abandonnée. *Sa miséricorde est éternelle.*

Quand la famille s'était réunie bien après le coucher du soleil, ils avaient dîné en silence avec du mouton froid, et tous étaient allés au lit de bonne heure. Madame Gunn était revenue le lendemain matin pour s'occuper du petit-déjeuner, mais il était resté presque intouché sur le buffet. Peut-être qu'après le tournoi de curling, ils auraient retrouvé assez d'appétit pour apprécier leur tardif repas de Noël, mais Meg en doutait fortement.

Elle regarda sa famille, qui avait rejoint la rangée de spectateurs rassemblés près de la «maison» — l'aire circulaire sur la glace où chaque joueur tenterait bientôt de loger sa pierre. Alan était déjà assis entre ses parents sur une chaise légère en bois qu'ils avaient apportée pour lui. Par un temps aussi glacial, elle doutait que les Campbell restent à King's Park plus d'une heure ou deux. Peu de temps après le déjeuner, Meg partirait pour Édimbourg et prierait pour ne plus jamais revivre un autre Noël comme celui-là.

Quand les hommes sur la patinoire commencèrent à se serrer la main et à se souhaiter mutuellement bonne chance, le silence se fit dans la foule.

Meg s'approcha un peu. Les mouvements sans effort apparent des joueurs d'expérience ne manquaient jamais de l'éblouir. Elle observa attentivement le premier homme qui abaissait le genou vers la surface glacée pour effectuer le coup d'envoi. Tenant un balai à long manche dans sa main gauche pour garder son équilibre, il projeta sa pierre de granit devant lui et se laissa entraîner sur la glace à sa suite. Lentement, élégamment, il la relâcha et se redressa, son attention rivée sur la pierre en rotation. Le temps lui apprendrait s'il avait donné au projectile un judicieux tour de poignet.

Alors que la pierre poursuivait sa course, deux joueurs de son équipe restaient à sa hauteur, balayant vigoureusement la neige qui aurait pu la ralentir. Le skip, le chef d'équipe, criait ses directives depuis l'extrémité éloignée de la maison tandis que la pierre de granit continuait sur sa lancée. Quand elle s'arrêta enfin dans le cercle concentrique le plus grand, la foule applaudit chaleureusement et attendit le lancer du joueur suivant.

Éprouvant le besoin de l'encourager, Meg éleva la voix au-dessus du brouhaha ambiant.

— Il est en grande forme ! lança-t-elle.

— Vous avez raison, mademoiselle Campbell, acquiesça un gentilhomme derrière elle.

Gordon. Elle virevolta pour le saluer, le cœur bondissant dans sa poitrine.

— Vous êtes encore ici, monsieur Shaw. Comme j'en suis heureuse. *Si heureuse.*

Le nez et les joues de Gordon étaient rougis par le froid, pourtant ses yeux bruns étaient toujours aussi chauds. Il baissa la tête pour lui sourire, posa un doigt sur ses lèvres, puis l'invita d'un geste à le suivre.

Meg obéit sans hésitation. La joie, la peur et l'attente s'agitaient en elle. Elle essaya de dominer ses émotions afin d'agir comme une femme de vingt-six ans. Mais c'était la jeune fille de seize ans, celle qui attendait toujours un amoureux, qui insistait pour avoir le dernier mot.

Vous êtes resté pour moi, Gordon. C'est pour moi que vous êtes encore là.

Bien qu'il ne lui prît pas la main, Gordon resta près d'elle alors qu'ils marchaient péniblement sur le sol inégal, se dirigeant vers un bosquet de conifères couverts de neige. Ils sortirent bientôt de la foule, choisissant un endroit bien en vue pour éviter les ragots, mais où ils pourraient parler sans être entendus.

Ils se tournèrent l'un vers l'autre, leurs haleines se mêlant dans l'air glacial. Pendant un moment, Meg pensa que Gordon allait l'embrasser tant son regard était intense alors qu'il s'attardait sur sa bouche. Elle pria pour qu'il n'en fît rien. Elle espérait qu'il le fasse.

Gordon leva les yeux lentement jusqu'à ce qu'ils croisent les siens.

— Je suis venu vous dire au revoir et je découvre que j'en suis incapable.

Ses mots restèrent suspendus dans le gris silence du matin, la réchauffant.

Après un long silence, Meg confessa :

— Quand vous êtes parti hier... Quand mon père vous a dit de vous en aller...

Elle baissa les yeux, embarrassée de parler aussi librement. Mais cela devait être dit.

— Je ne pouvais tolérer l'idée de ne plus jamais vous revoir.

— Nous nous comprenons alors, dit Gordon.

Il plaça un doigt sous le menton de Meg et le souleva vers lui.

— Je vous dois aussi des excuses, Margaret, pour avoir brisé ma promesse à Noël.

La sincérité dans sa voix, l'expression honnête de son visage la convainquirent de nouveau.

— Je n'aurais pas dû vous demander de mentir, de dissimuler votre identité... de commettre un péché. Si vous me pardonnez aussi, Gordon, nous n'aurons plus besoin d'en reparler.

En guise de réponse, il prit délicatement sa main. Meg sentit son corps se détendre, comme lorsqu'elle rentrait chez elle après avoir enseigné toute la journée et s'effondrait dans le fauteuil le plus confortable de sa maison.

Le rire de Gordon, bas et chaud, la prit par surprise.

— Je ne vous ai jamais vue aussi paisible, admit-il.

Elle sourit.

— Et moi, je ne vous avais jamais entendu rire.

Du coin de l'œil, elle remarqua plusieurs personnes qui les regardaient. Meg fit un pas en arrière, prenant soudain conscience de leur proximité. Et de la durée de son absence.

— Je vous demande pardon, Gordon. Je resterais volontiers ici des heures, mais ma famille se demandera où je suis passée.

Il hocha la tête.

— Je suis venu pour leur parler aussi.

Meg sentit le froid l'envahir subitement.

— Il n'y a rien à ajouter, dit-elle.

— Oh oui, il y a autre chose.

Il tira sur ses manches, puis rajusta le col de son pardessus.

— Margaret, si nous...

— Meg, lui dit-elle. C'est ainsi que mes amis m'appellent.

Quand il baissa les yeux vers elle, l'étincelle dans le regard de Gordon avait disparu.

— J'aurais espéré être plus qu'un ami pour vous, Meg, reprit-il. Mais si vos parents et Alan m'interdisent votre maison, nous ne pouvons espérer un tel avenir.

— Je suis une adulte, comme vous, lui rappela-t-elle. Nous n'avons pas besoin de leur permission...

— Non, mais nous avons besoin de leur bénédiction, dit Gordon fermement. Plus précisément, je voudrais offrir à Alan une réparation tangible.

Il fit un pas vers la foule, qui applaudissait maintenant les hommes sur la patinoire.

— Vous l'avez dit vous-même, Meg, expliqua-t-il. J'ai
ruiné la vie de votre frère. Laissez-moi aller vers lui et
voir ce qui peut être fait pour améliorer la situation.

Quand Gordon offrit son bras, Meg le prit, puis elle
dut faire un effort pour suivre son pas plus allongé que le
sien. Ses pensées, toutefois, le devançaient, et elle aurait
voulu qu'il les entendît. *Je vous en prie, Gordon. Alan ne
voudra pas vous parler. Je vous en prie!*

Chapitre 17

Voilà ce qui est le plus amer —
Avoir à porter le joug de nos propres méfaits.

— GEORGE ELIOT

Gordon ralentit le pas lorsqu'il se rendit compte qu'il marchait trop rapidement pour Margaret. *Meg.* Un nom simple pour une jeune femme qui sortait de l'ordinaire.

Il n'était pas venu à King's Park pour gagner son cœur, mais il semblait l'avoir fait. Ou n'était-ce pas plutôt elle qui avait ravi le sien ? Gordon savait seulement que lorsqu'il voyait la lumière de l'espoir briller dans ses yeux bleus, il voulait l'embrasser. Désespérément. D'une manière ou d'une autre, il était parvenu à se maîtriser, mais il ne pouvait nier son désir.

Meg. Il espérait qu'elle approuverait ce qu'il s'apprêtait à faire.

Alors qu'ils approchaient de l'étang de curling, il aperçut les Campbell dans la foule. Devait-il les approcher avec Meg à son bras ? Ou cela les mettrait-il en colère et saboterait-il ses efforts pour aider Alan ?

Gordon inclina la tête vers la sienne et demanda à voix basse.

— Voulez-vous que votre famille soit informée de notre… intérêt mutuel ?

Meg retira sa main immédiatement.

— Pas tout de suite, dit-elle.

Elle semblait plus distante à son égard maintenant. Avait-il tenu un propos déplacé ? Présumé quelque chose qui n'était pas vrai ? Il ne la connaissait pas suffisamment pour en être sûr. Mais il connaîtrait ses intentions, et bientôt.

Alors qu'ils s'approchaient de la surface glacée, la scène de son crime, les souvenirs de Gordon de ce jour de janvier fatidique devenaient plus précis. Peu de choses avaient changé en une douzaine d'années. Ni la mince couche de glace, ni les cercles concentriques de la maison, ni les sapins entourant le lac, ni le ciel d'un gris laiteux.

Il repéra l'endroit précis où il était entré en titubant sur la glace avec sa pierre de curling. *Là-bas.* Et l'endroit où un garçonnet aux cheveux noirs avait croisé son chemin. *Juste ici.* À en juger par la tristesse de ses yeux, Meg regardait les mêmes endroits. Se souvenant, se désolant, comme lui.

Gordon posa la paume de sa main dans son dos.

— Je dois parler à votre famille maintenant. Viendrez-vous avec moi ?

Ils se faufilèrent à travers la foule. Plusieurs fois, Gordon avait voulu lui prendre la main, mais s'était rappelé ses mots. « Pas tout de suite. » Les joueurs sur la patinoire étaient bien en vue maintenant. Il en reconnut quelques-uns. Willie Anderson, avec ses longs bras et sa

démarche dégingandée, et George Hardie, qui se déplaçait avec une aisance surprenante pour son âge.

Trois jours auparavant, Gordon évitait soigneusement toutes ses anciennes connaissances de Stirling.
Maintenant, il aurait voulu que tous regardent dans sa
direction pour voir ce qu'il était devenu : un homme
transformé. *J'aurai confiance et je n'aurai pas peur.* Il répéte-
rait cette vérité dans son esprit et dans son cœur jusqu'à
ce que les mots y aient pris racine.

Les parents de Meg et son frère étaient maintenant
devant eux. Gordon releva les épaules et murmura une
prière avant de s'adresser à Alan.

— Alan ?

Le jeune homme se tourna juste ce qu'il fallait pour
l'entrapercevoir.

— Je vous croyais de retour à Édimbourg depuis
longtemps, dit-il d'un ton indifférent.

En voyant l'expression sévère des Campbell et tous les
voisins qui les encerclaient, Gordon souhaita s'y être pris
autrement. Il aurait pu frapper à leur porte. Envoyer une
lettre. Communiquer la nouvelle par un avocat. Discuter
de tels sujets dans un parc lui sembla soudain malavisé.

Mais il était là maintenant, selon la volonté divine.
J'aurai confiance. Oui, il aurait confiance.

Gordon s'approcha d'Alan et déposa un genou près sa
chaise, ignorant le froid qui s'infiltrait à travers son par-
dessus. Il avait préparé son discours et l'avait répété plusieurs fois ce matin-là. Mais maintenant qu'il était sur
place, avec l'étang de curling derrière son dos et Alan qui
le toisait avec hostilité, Gordon comprit que ses paroles
apprises ne lui serviraient guère.

Il décida plutôt de parler avec son cœur.

— Alan, j'espère que vous savez à quel point je suis désolé.

— Vous n'arrêtez pas de me le dire, murmura le jeune homme tout en fixant un objet distant connu de lui seul.

Gordon laissa errer son regard sur l'étang, sentant le vent glacial pincer sa nuque.

— J'ai cru que le meilleur endroit pour demander pardon était ici, à King's Park, expliqua-t-il. Où tout est arrivé. Où je vous ai blessé.

Il retira le relevé de compte de la poche de sa veste, puis leva les yeux pour s'assurer que monsieur Campbell écoutait.

— Mon père n'était pas un homme riche. Mais ce qu'il avait de fortune, il me l'a légué à moi, son fils unique.

Alan leva vers lui un regard qui ressemblait à du dégoût.

— Suis-je censé être impressionné, monsieur Shaw ?

— Non, cela vous revient de droit, dit Gordon en présentant le document d'une main ferme.

Alan le lui arracha vivement et parcourut son contenu. Puis ses yeux noirs s'agrandirent, et l'espace d'un instant, son expression coléreuse fit place à celle du pur étonnement.

— Vous n'avez sûrement pas l'intention de me céder tout cela ?

— Oui, dit Gordon en se levant, voulant inclure toute la famille Campbell. Comme vous le savez, monsieur Campbell, la Banque Royale n'ouvrira ses portes que demain matin. Mais les arrangements peuvent être faits pour que la somme soit versée dans le compte d'Alan. Ou dans le vôtre, si vous préférez.

Quand monsieur Campbell tendit la main pour prendre le papier, Alan le retira vivement.

— Non ! C'est moi qui ai été blessé, père. L'argent me revient.

— Allons, Alan, dit sa mère en lui retirant doucement le document de la main. As-tu oublié que ton père est banquier ? Il saura ce qu'il faut faire.

Gordon vit l'expression du visage de madame Campbell quand elle prit connaissance de la somme.

— Monsieur Shaw ! Vous ne pouvez pas… C'est… bien trop…

Elle passa le relevé à son mari d'une main tremblante.

La réaction de monsieur Campbell fut lente à venir, comme s'il était à la fois tenté d'accepter mais déterminé à refuser.

— Votre générosité vous honore, monsieur Shaw, dit-il finalement. Vraiment, c'est un geste très noble de votre part.

Il remit le relevé de compte à Gordon.

— Mais notre fils n'a pas besoin de votre argent…

— *Donnez-moi cela !* gronda Alan.

Puis il bondit sur ses pieds aussi facilement qu'un cerf d'un vallon des Highlands.

— Alan ! s'écrièrent sa mère et son père.

Ils étaient en état de choc. Et de confusion.

La foule autour d'eux s'écarta d'un pas. Tous les yeux étaient rivés sur le jeune homme, qui se tenait debout au bord de l'étang dans une attitude de défi. Les parties s'étaient arrêtées, les pierres de curling glissant sur la glace dans l'indifférence tandis que les joueurs incrédules regardaient des lignes de touche.

Gordon replia lentement la feuille de papier et la glissa dans sa poche, mais ses gestes étaient exécutés machinalement, tandis que son esprit fonctionnait à vive allure. *Cela peut-il être vrai, Seigneur ? Alan peut se lever et se déplacer aussi facilement que moi ?*

Monsieur Campbell fit un pas en avant, visiblement ébranlé.

— Depuis combien de temps, Alan ? demanda-t-il. Depuis combien de temps as-tu retrouvé l'usage de tes jambes ?

Comme son frère se taisait, Meg dit calmement :

— Père mérite une réponse, Alan. Comme nous tous.

Alan la regarda méchamment, puis commença à marcher de long en large. À en juger par l'aisance de ses mouvements, il était clair qu'il n'était plus affecté par sa blessure depuis longtemps.

— En quoi est-ce si important ? demanda-t-il.

— C'est important pour ta famille, lui répondit monsieur Campbell.

Il se rapprocha de son fils, et la colère et la frustration étaient gravées sur son visage.

— Pourquoi es-tu resté dans ton fauteuil plus longtemps que nécessaire, pénalisant les gens autour de toi, alors que tu aurais pu te lever et marcher ?

Sa mère s'approcha de lui, des larmes coulant de ses yeux.

— Peux-tu nous le dire, Alan ?

Meg soupira, et son visage était rempli de chagrin.

— Je pense que je connais la raison, dit Meg, qui déposa une main sur le bras de son frère, qui s'était maintenant arrêté. Tu as toujours voulu avoir l'attention exclusive de nos parents. Même avant ta blessure.

Alan la vrilla du regard.

— N'ai-je alors pas obtenu ce que je voulais pendant douze ans?

Vraiment, Alan? Le cœur de Gordon s'effondra quand il pensa au garçon qui avait grandi surprotégé et gâté par des parents bien intentionnés, mais qui était demeuré enfermé dans une prison de sa propre fabrication.

— Il semble que je n'ai pas ruiné votre vie en fin de compte, Alan, dit Gordon doucement. Vous vous en êtes chargé vous-même.

— Eh bien, ne suis-je pas un adulte maintenant? demanda-t-il avec dépit. Je peux très bien prendre soin de moi tout seul.

Alan s'éloigna d'un pas décidé, la tête baissée, les poings serrés.

Quand sa mère voulut le suivre, son mari la retint doucement.

— Laissons-le aller, ma chérie. Nous en avons assez dit pour le moment.

Monsieur Campbell se tourna vers Gordon comme s'il le voyait pour la première fois.

— Pardonnez-nous, monsieur Shaw. De vous avoir tenu responsable de tout, alors que notre fils… était…

— Sa blessure était entièrement ma faute, s'empressa de dire Gordon. Je suis seulement triste qu'il ne soit pas complètement guéri.

Il regarda la silhouette solitaire s'éloigner dans la neige. Douze années de culpabilité. Douze années de honte. *C'est assez.*

Les voisins, qui avaient observé la scène dans un silence médusé, commencèrent à regagner leurs places pendant que la cloche d'une église proche sonnait midi. La moitié de la journée était passée.

— Je ne comprends pas, dit madame Campbell, qui murmurait presque pour elle-même. Pourquoi Alan a-t-il caché une telle chose? Quel avantage a-t-il gagné?

Meg prit la main de sa mère.

— Il ne voulait pas devenir adulte.

— Oh, mais…

— Notre fille a raison, dit monsieur Campbell d'un ton bourru. Alan n'avait pas d'intérêt pour les études, ne manifestait aucun désir de travailler et ne cherchait pas à se montrer indépendant.

Il effleura l'épaule de Meg et ajouta :

— Sa sœur, bien sûr, possède ces trois dispositions.

Gordon vit la fierté dans les yeux de son père et commença à comprendre ce qui avait retenu Alan immobilisé dans son fauteuil. Il ne pouvait gagner l'admiration de son père, alors il s'est employé à obtenir son attention constante, mais à quel terrible prix.

Incertain de sa place, Gordon fit un pas en arrière, pensant laisser les Campbell en paix.

Mais Meg prit sa manche et l'attira vers elle.

— Je me demandais, dit-elle, si nous pourrions inviter monsieur Gordon à se joindre à nous pour notre repas de Noël tardif.

Un repas était bien la dernière chose que Gordon avait en tête. Mais si cela signifiait quelques heures additionnelles en compagnie de Meg, il s'assoirait volontiers à leur table.

Madame Campbell essaya de sourire, mais ses yeux restaient tristes.

— Venez partager ce repas avec nous, monsieur Gordon. Vous êtes le bienvenu.

Gordon baissa les yeux vers la tête blonde de Meg. «Pas tout de suite», avait-elle dit. À la lumière de ce qui était arrivé, peut-être avait-elle changé d'avis.

— Êtes-vous sûre? demanda-t-il à voix basse.

— Oui, fut sa seule réponse.

Ses yeux exprimèrent le reste.

La voix d'un vieil ami flotta au-dessus de l'étang.

— Il est temps de revenir essayer la glace, Gordon Shaw!

Il se tourna et vit Willie Anderson qui approchait, une pierre de curling à la main. Derrière lui se tenaient les autres joueurs avec leur balai et leurs chaussures à semelles plates. Apparemment, les hommes en avaient vu et entendu assez pour le reconnaître. Et savoir ce qu'il avait fait.

— Je n'ai pas tenu de pierre de curling depuis une douzaine d'années, les prévint Gordon tout en lorgnant la pierre avec envie.

Le jeu qui plus que tous les autres rend les hommes frères, comme disait la chanson. Jusqu'à ce moment-là, il avait oublié combien il appréciait d'être compté parmi les princes de la patinoire.

— En es-tu sûr? demanda-t-il.

— Nous sommes entre deux manches, lui dit Willie. Viens, mon gars, montre-nous ce que tu sais faire.

Il lui tendit sa pierre, une invitation irrésistible.

Gordon ignora les battements dans sa poitrine et prit la poignée, qui gardait la chaleur de la main de Willie. Oui, il essaierait. Même s'il devait se couvrir de ridicule à sa première tentative.

Il mit un pied prudent sur la glace, prenant un moment pour trouver son équilibre. D'anciens voisins et amis étaient debout sur les bords enneigés de l'étang. Des étrangers aussi, sans doute curieux de voir pourquoi un homme qui n'était pas vêtu en sportif s'était vu confier une pierre de curling. Bien qu'il sentît leurs regards fixés sur lui, Gordon ne pensait plus maintenant qu'à son lancer. S'il arrivait à placer sa pierre pas trop loin de la maison, il serait satisfait.

Il expira une bouffée de vapeur dans l'air froid, puis fit balancer la pierre derrière lui — une première fois pour s'exercer avant de s'exécuter. Alors qu'il complétait son élan, ramenant la pierre vers l'avant, il s'agenouilla sans effort sur la glace, comme s'il avait fait ce mouvement quelques instants, et non plusieurs années, auparavant. Il se laissa glisser, retenant son souffle. Quand sa vitesse commença à décroître, Gordon imprima une lente rotation en sens horaire à la poignée, de dix heures à midi. Puis il relâcha la pierre en espérant la voir décrire une trajectoire courbe sur la piste.

Ses deux coéquipiers entrèrent en action, balayant la glace furieusement, alors que la foule hurlait ses encouragements. Gordon ne pouvait plus qu'observer la pierre, même s'il avait de la difficulté à voir à travers les larmes.

Il avait réussi. Il était revenu à Stirling, à King's Park, et avait reposé le pied sur l'étang de curling en homme libéré. Pardonné.

Un cri joyeux retentit quand sa pierre s'immobilisa près du centre de la cible. Willie lui donna une tape amicale dans le dos.

— Pas mal, Shaw. Pas mal du tout.

Chapitre 18

Jamais je ne pourrai clore les lèvres
quand j'ai ouvert mon cœur.

— CHARLES DICKENS

Meg aurait voulu afficher la dignité d'une dame. Mais entre tous les autres qui criaient avec abandon, elle devait agiter les bras pour être vue, à défaut d'être entendue. Et il *fallait* que Gordon sache à quel point elle était fière de lui, et pas seulement parce que sa pierre de curling était avantageusement placée dans la maison.

Elle attendit sur la pointe des pieds pendant que Gordon se frayait un chemin dans la foule, serrant la main de purs étrangers, avant de finalement prendre celle de Meg.

— Mademoiselle Campbell, dit-il chaudement.

Meg adorait la façon dont il prononçait son nom, comme s'il savourait une sucrerie.

— Me raccompagnerez-vous à la maison, monsieur ?

Il feignit la perplexité.

— À votre maison d'Édimbourg ? Ou à celle de la place Albert ?

— À la place Albert, évidemment.

Ils n'avaient pas discuté de leurs plans pour se rendre à la capitale. Devaient-ils prendre le train de fin d'après-midi ensemble ? Meg ne voulait pas être présomptueuse ni donner à madame Darroch tous les ingrédients pour concocter une rumeur scandaleuse. Mais si Gordon s'assoyait de l'autre côté du couloir dans le même comparti-ment de deuxième classe, comme il l'avait fait la veille de Noël, personne ne s'en formaliserait.

Ses parents vinrent se joindre à eux peu après, les épaules affaissées, le visage creusé. Alan avait rendu leur matinée très difficile, en effet.

— Nous devrions rentrer à la maison, dit sa mère épuisée d'une voix ténue. Madame Gunn doit servir le repas à quatorze heures.

Meg et Gordon marchaient de part et d'autre du couple fatigué alors qu'ils traversaient les champs cou-verts de neige. Son père avait retenu un traîneau tiré par un cheval pour les amener à l'étang de curling pour le seul bénéfice d'Alan — une dépense inutile, compre-nait maintenant Meg. C'était une petite distance jusqu'à la maison à pied — pas tout à fait deux kilomètres —, et la neige sur le chemin Dumbarton était bien battue.

Ils marchèrent en silence quelques minutes, l'air entre eux chargé de regrets.

— Je suis triste qu'Alan ait gardé sa guérison secrète si longtemps, dit finalement Meg, ne sachant pas trop par où commencer.

Elle prit le bras de son père, espérant le réconforter.

— N'aviez-vous pas quelques soupçons…

— Aucun, dit-il.

— Pas le moindre, fit sa mère en écho.

Meg se demanda si Clara ou madame Gunn auraient quelque commentaire à faire. Les domestiques étaient souvent plus observateurs que leurs maîtres.

— Il n'importe guère de savoir pendant combien de temps Alan nous a trompés, dit son père sombrement. La vraie question est de savoir pourquoi il l'a fait.

Gordon s'éclaircit la voix.

— Je sais qu'il s'agit d'une affaire privée, mais si je puis me permettre, monsieur…

— Je vous en prie, dit son père en levant la main.

Gordon regarda Margaret avant de poursuivre.

— Je connais les noms de plusieurs médecins de Glasgow qui pourraient être consultés. Il y a des remèdes et des traitements qui pourraient être considérés.

Son père soupira.

— J'ai bien peur que mes appointements d'employé de…

— Peut-être l'avez-vous oublié, monsieur Campbell, répondit Gordon en retirant le relevé de la poche de son manteau. J'avais l'intention de remettre ceci à Alan. Maintenant, je vois que c'est plus que jamais nécessaire.

Meg déglutit. *Oh, Gordon.* Elle était la seule membre de la famille qui n'était pas au courant de la somme. Mais elle avait vu l'expression de leur visage et savait qu'elle était substantielle.

— Monsieur Shaw… il s'agit de votre héritage… bégaya son père, qui s'arrêta complètement. Nous ne pouvons l'accepter.

Gordon échangea un regard avec elle.

— Et si c'était un présent de Noël? Il n'est pas de bon ton de refuser un cadeau.

Bien que le ton de sa voix fût léger, Meg savait qu'il était sérieux.

— Dans les années à venir, monsieur Shaw, cela ne vous mettra-t-il pas dans la gêne? demanda le père d'Alan.

Il haussa les épaules, et son visage était serein.

— C'est Dieu qui m'a demandé de faire cela, dit Gordon. Il veillera sur moi aussi.

Meg en avait encore beaucoup à apprendre sur Gordon Shaw, mais elle savait hors de tout doute que c'était un homme de fortes convictions. Beaucoup de choses seraient dites et faites concernant Alan dans les jours à venir. Pour l'instant, ses parents avaient besoin de temps pour se reposer, pour accepter la situation et pour réfléchir à ce qu'il faudrait faire quand Alan rentrerait à la maison — s'il rentrait à la maison.

Quand ils arrivèrent enfin à la maison, Meg retira ses écharpes et secoua ses bottes de marche.

— Venez vous réchauffer près du foyer, conseilla Meg à Gordon en l'accompagnant dans le petit salon pendant que ses parents s'habillaient pour le repas.

Meg tendit les mains au-dessus de la chaleur bienfaisante et Gordon l'imita. Elle vit que ses mains étaient légèrement tachetées, longues et minces, et couvertes de fins poils roux. Les mains d'un artiste dont la matière était les mots.

Les yeux de Gordon rencontrèrent les siens.

— Quel train prendrez-vous pour rentrer à Édimbourg?

— Pas le trois vingt-six, dit-elle fermement, car on dit qu'il n'arrive pas toujours à l'heure.

Il sourit.

— Je pensais plutôt prendre le quatre quarante-trois.

— Tout comme moi, répondit-elle.

Elle soutint son regard, voulant savoir ce qu'il avait en tête. Se reverraient-ils un jour ? Ou déposerait-il simplement l'argent d'Alan dans le compte de son père, avant de retourner à son existence à Glasgow ? « Nous nous comprenons », avait-il dit. Elle pria pour que ce fût vrai et posa la seule question qu'elle pût sans risquer son cœur.

— Combien de temps resterez-vous à Édimbourg ?

Son sourire s'évanouit.

— Moins d'un jour, j'en ai peur. Après mon entrevue du matin, je dois rentrer à Glasgow, sinon mon rédacteur en chef trouvera un autre scribe pour faire ses volontés.

Meg baissa les yeux afin qu'il ne vît pas son désarroi. *Si tôt ?*

Sa mère les appela de la porte du petit salon.

— Madame Gunn est prête pour nous.

— Ce ne sera pas long, maman, promit Meg, puis elle se hâta vers sa chambre à coucher, ayant besoin d'être seule un moment.

Elle se lava rapidement les mains et le visage, puis s'aspergea d'un peu de parfum, avant de s'arrêter pour faire une prière silencieuse. *Si Gordon doit être mien un jour, mon Dieu, donnez-moi la patience, s'il vous plaît. Et s'il n'est pas destiné à le devenir... oh, s'il ne l'est pas, alors, réconfortez-moi.*

Quand elle leva la tête, son regard s'arrêta sur sa haute commode. *Le cadeau de Gordon.* Elle pourrait au moins le renvoyer chez lui à Glasgow avec quelque chose pour le protéger du froid.

Il l'attendait dans la salle à manger, ses vêtements brossés, ses cheveux bien peignés. Gordon remarqua le cadeau dans ses mains.

— Encore… Noël?

— Oui, dit Meg.

Elle s'assit afin qu'il puisse faire de même, puis plaça le cadeau près de son assiette. Ses parents avaient déjà pris place à table. Seule la chaise d'Alan demeurait vide, bien que le couvert ait été mis pour lui aussi, avec les assiettes, l'argenterie et la coupe de cristal.

— Bien sûr, c'est Noël, dit Meg, admirant la table mise par sa mère, décorée avec des brindilles de houx et de baies, de chatoyantes bougies et des bâtons de cannelle enrubannés. Dans chaque assiette vide se trouvait un diablotin, qui attendait d'être défait.

Meg hocha la tête vers la petite surprise multicolore de Gordon.

— Le vôtre d'abord, je vous en prie.

Ils prirent chacun une extrémité du tube enveloppé de papier et tirèrent, puis pouffèrent de rire quand le pétard éclata avec un petit bruit sec. Un petit harmonica tomba dans l'assiette, accompagné de quelques souhaits de Noël imprimés et d'un chapeau en papier de soie rouge plié.

Gordon le déplia soigneusement et s'en coiffa, avec toute la dignité de circonstance.

— À votre tour, mademoiselle Campbell.

Son diablotin éclata plus bruyamment que prévu, ce qui la fit sursauter. Peu après, elle portait son propre petit

chapeau pointu bleu. Deux nouvelles pétarades aux extrémités opposées de la table, et ses parents furent à leur
tour pareillement coiffés — une tradition de Noël, même
dans les foyers les plus conservateurs.

— Clara, dit sa mère, je crois que nous sommes prêts
pour notre potage.

Un assortiment éblouissant de plats et d'assiettes fit la
navette entre la table et la cuisine. Une oie rôtie farcie
avec des châtaignes — un des plats favoris de Gordon —
fit office de plat de résistance. Sa mère eut plus que sa
part de panais rôtis, et son père savoura ses saucisses
noyées de sauce. Meg se garda un peu de place pour son
plum-pudding nappé de crème fraîche, et chacun eut
droit à une mince tranche de gâteau de Noël regorgeant
de fruits et garni de pâte d'amandes.

Libérée des regards hostiles de son frère, normalement assis en face d'elle, jouissant de la présence de
Gordon à ses côtés, Meg apprécia discrètement ce Noël, le
plus paisible et le plus agréable qu'elle ait passé depuis
bien longtemps. Malgré tout, elle s'ennuyait d'Alan. Les
raisons qui l'avaient poussé à simuler la paralysie demeu-
raient pour elle un mystère, qui serait mieux résolu par
un médecin. Mais c'était son frère, et elle l'aimait
toujours.

Quand le café fut servi, Meg tapota le présent de
Gordon.

— Ouvrez-le, je vous en prie, monsieur Shaw. Puis
nous irons rapidement à la gare de Stirling.

Il déchira le papier — avec précipitation, lui
sembla-t-il —, puis s'adossa à sa chaise avec un regard
étonné.

— Comment l'avez-vous su ? Je rêvais d'avoir une écharpe autour du cou depuis mon départ de Glasgow. Et d'aussi bonne qualité qui plus est.

Meg rougit à son compliment.

— J'espère qu'il est assez long, dit-elle.

— On croirait qu'il a été fait sur mesure pour moi, dit Gordon en levant un sourcil. Mais puisque vous n'aviez pas le temps de faire des courses ni de tricoter, alors il me faut penser qu'il a été fait pour quelqu'un d'autre…

— Dont nous ne parlerons pas, dit madame Campbell d'un ton qui n'admettait pas de réplique. Il a été fait pour vous, monsieur. Que Margaret l'ait su ou non quand elle tenait les aiguilles, vous pouvez être sûr que le Tout-Puissant, Lui, le savait.

Meg chercha le regard de sa mère, puis forma les paroles «Soyez bénie» avec ses lèvres.

Gordon se leva et remercia ses parents avec des mots et un visage si sincères que Meg en fut touchée.

— Je vous prie de m'excuser de partir si rapidement…

Quand sa voix faiblit, Meg suivit son regard.

Alan était dans le vestibule, agrippant sa casquette entre ses mains, le visage gercé et rougi. Chaque mot qu'il prononça semblait ciselé dans la glace.

— Je n'ai nulle part d'autre où aller.

Sa mère fut près de lui immédiatement.

— C'est ta maison, Alan. Tu seras toujours bienvenu ici.

Elle le fit passer dans la salle à manger tout en donnant discrètement des directives à Clara. Une serviette humide pour ses mains et un potage furent rapidement apportés.

Meg se leva pour se rendre aux côtés de Gordon, heureuse de ressentir sa force en un tel moment.

— Je suis heureuse de te voir de retour parmi nous, Alan, dit-elle.

Il ne leva pas les yeux, mais sa cuillère s'arrêta un moment. C'était assez.

Meg ne fut pas surprise par l'accueil que lui avait fait sa mère. Mais les mots de son père furent une révélation pour elle.

— Nous sommes tous contents de te revoir à la maison, Alan, dit monsieur Campbell. Mais il te reste encore un long chemin à parcourir, avant de regagner notre confiance et surtout notre respect.

Son frère leva les yeux, manifestement étonné par les paroles qu'il entendait.

— Quand tu auras bien mangé, continua son père, nous discuterons des possibilités de te trouver un emploi, afin que tu puisses contribuer aux revenus de la maison.

Meg aurait voulu applaudir, embrasser sur la joue ce père silencieux qui avait soudainement retrouvé la voix. Où avait-il puisé un tel courage ? Une telle force ? Elle connaissait la réponse.

Le temps pressait toutefois, comme l'horloge du manteau de la cheminée le lui rappela. Quelques minutes plus tard, elle était debout sur le seuil de la porte avec Gordon et ses parents, se préparant à faire ses adieux.

— Tu m'écriras, n'est-ce pas ? lui dit sa mère, dont la lèvre inférieure tremblait.

Meg hocha la tête.

— Et je viendrai aussi souvent que je le pourrai, pour voir comment se porte Alan, dit-elle en regardant vers la salle à manger. Je dois avouer que je suis plus inquiète à son sujet maintenant que lorsque je croyais qu'il souffrait encore de sa blessure.

— Oui, acquiesça son père. Il faudra du temps avant que ton frère aille vraiment bien.

Va vers lui. Meg sentit son cœur se serrer. *Pardonne-lui et réconforte-le.*

Elle s'excusa, puis retourna lentement dans la salle à manger. Alan était assis seul, la tête basse, son assiette vide.

— Alan, dit-elle, et sa voix se brisa. Alan… je suis si désolée.

Meg s'agenouilla près de sa chaise et passa ses bras autour de lui.

— J'aurais aimé que ta vie fût différente. Mais elle peut encore changer. Et avec l'aide de Dieu, elle le fera.

— Personne ne comprendra, dit-il d'une voix tendue. Jamais on ne me pardonnera.

— Moi, si, dit Meg en pressant une joue sur son épaule. Je te pardonne.

Quand elle leva la tête, Alan avait l'air d'une bête blessée, les yeux voilés par la douleur. Elle embrassa ses joues, puis se leva, réticente à l'abandonner dans un tel état.

— Maman et papa prendront bien soin de toi. Ils l'ont toujours fait, dit-elle en passant sa main dans ses cheveux emmêlés. Je suis ta sœur, Alan, et je t'aimerai toujours. Ne l'oublie jamais.

Quand il détourna le regard, elle sut qu'il l'avait comprise.

Gordon apparut à la porte.

— Je m'excuse, mais le train…

— Oui, dit-elle.

Elle hocha la tête et le suivit dehors, puis fit de nouveau ses adieux à ses parents, avant de partir au bras de Gordon pour la gare de chemin de fer. Quand ils atteignirent le chemin de la Gare, ils couraient presque.

Le même employé aux cheveux bouclés accueillit Meg au guichet et échangea son ancien billet pour un nouveau.

— Monsieur, j'ai une malle…

— Oui, en effet, dit-il en indiquant du doigt une malle noire familière avec ses boucles de cuivre. Je la fais porter sur le quatre quarante-trois. Hâtez-vous, mademoiselle.

Gordon échangea son billet aussi, retrouva son sac de voyage, puis l'accompagna sur le quai et jusque dans le train.

— Je vois que nos sièges sont occupés, dit-il en hochant la tête vers l'avant de la voiture, où une famille occupait les deux premières rangées.

— Peu importe, dit Meg joyeusement.

Elle choisit un siège vers le milieu du compartiment, s'assurant que celui de l'autre côté du couloir était vacant.

Mais Gordon s'assit plutôt près d'elle. Il la tassa doucement vers la fenêtre d'un petit mouvement d'épaule.

— Un choix excellent, dit-il.

Oh, mon Dieu. Quand Meg parcourut la voiture du regard, personne ne semblait intéressé à ce couple de jeunes gens non mariés qui osaient s'asseoir côte à côte.

— Êtes-vous certain...

— Absolument, mademoiselle Campbell.

Il effleura sa main si discrètement qu'elle aurait pu ne pas s'en rendre compte. Mais il s'agissait de Gordon.

Il baissa la tête jusqu'à ce qu'elle effleurât la sienne.

— Glasgow n'est qu'à une heure de train d'Édimbourg. C'est tout ce qui nous sépare. Un inconvénient bien mineur, facilement résolu par le prix d'un billet de retour. N'ai-je pas raison ?

— Oui, dit Meg en fermant les yeux, bouleversée.

Avec lui, tout semblait possible. Et l'était en effet.

Gordon serra sa main, comme s'il comprenait et ressentait la même chose.

— Dans les Highlands, on dit « Noël sans neige est un triste jour ».

— Est-ce vrai ? dit Meg en levant les yeux vers lui. Alors, nous avons vécu un très joyeux Noël.

Notes de l'auteure

C'était l'hiver ; la nuit était très noire ;
l'air extraordinairement clair et froid,
et embaumé par la sève des forêts...
Pour inventer une histoire,
c'étaient d'excellentes conditions.

— ROBERT LOUIS STEVENSON

Comme plusieurs histoires, celle-ci a commencé par un livre — *World Railways of the Nineteenth Century* [Les chemins de fer dans le monde au XIXe siècle] — acheté pour une chanson dans une boutique de livres d'occasion. Je l'ai dévoré pendant des mois jusqu'à ce que la vapeur commence à siffler ! Comme j'aime les trains ! En ce qui concerne le titre de ce court roman, une « couronne » n'est pas seulement une décoration que l'on accroche au temps des réjouissances ; c'est aussi le mot écossais qui désigne « un monticule ou un amas de neige[5] ». Après avoir découvert ces savoureux détails, l'histoire a rapidement pris forme.

---

5. N.d.T. : Le titre original anglais est A Wreath of Snow, qui est également une expression écossaise.

De toutes les années du long règne de Victoria, j'ai choisi 1894 parce qu'elle avait été exceptionnellement froide et enneigée en décembre, et marquée par une période de gel de douze semaines qui avait débuté aux Fêtes. Deux ouvrages de référence publiés en 1894 se sont aussi révélés utiles : *Murray's Handbook for Travellers in Scotland* et *Montain, Moor and Loch*, contenant des croquis « pris sur le vif » à l'encre et au crayon de la *West Highland Railway*. J'ai adoré.

Nous avons aussi perdu deux monstres sacrés de la littérature en 1894, qui ont été cités dans ces pages : Robert Louis Stevenson, mort le 3 décembre, et Christina Rossetti, décédée le 29 décembre. L'épigraphe ci-dessus a été tirée du roman de Stevenson *Le maître de Ballantrae*, que Meg avait commencé à lire dans le train. Cristina Rossetti, dont les mots apparaissent au début du chapitre 3, a écrit « In the Bleak Midwinter » en réponse à une demande de la revue *Scribner's Monthly* pour un poème de Noël.

Pour m'assurer que notre célébration de Noël dans l'Écosse victorienne était historiquement exacte, je me suis tournée encore et encore vers cette ressource merveilleuse de Marjory Greig : *The Midwinter Music : A Scottish Anthology for the Festive Season*. Si vous aimez cette période de l'année autant que moi, la série de la télévision britannique *Bramwell* pourrait vous plaire. Ayant pour décor Londres en 1895, cette série télévisuelle fut diffusée au cours de l'émission *Masterpiece Theatre* sur le réseau américain PBS un siècle plus tard. Elle est maintenant offerte en format DVD. La jeune médecin Eleanor

Bramwell m'a servi de modèle pour créer notre Meg indé-
pendante et énergique.

Ce fut une pure joie que de passer une semaine avec
ma fille Lilly à Stirling, en Écosse, pour y faire des recher-
ches, explorer ses rues montueuses et sinueuses, prendre
des photographies et regarder *Downton Abbey*[6] tout en
imaginant les Campbell de la place Albert. Ces jolies maisons de grès, construites dans les premières années du
règne de Victoria, s'élèvent toujours en face de la salle
municipale, connue sous le nom d'Albert Halls depuis
1896.

Si vous avez déjà visité Stirling, ou si vous y avez
vécu, vous connaissez peut-être l'église Allan Park South
sur le chemin Dumbarton, où Meg et sa famille célèbrent
le matin de Noël. Parce que l'un des personnages porte le
nom d'Alan et que les Campbell résident dans le quartier King's Park adjacent, j'ai choisi d'en abréger le nom
pour Park Church dans *Une guirlande de neige*. L'église,
construite au milieu du XIXe siècle, vaut le déplacement,
et sa rosace aux nombreux vitraux est réellement
magnifique.

Un câlin affectueux à mon amie néo-zélandaise,
Marlene Dunsmore, pour m'avoir montré une photogra-
phie de mariage dans sa famille, qui représentait si par-
faitement Gordon et Meg que je m'en suis grandement
inspirée. Quel couple charmant !

Plusieurs lecteurs et réviseurs méritent des éloges
additionnels pour leur patience et leur soutien : Laura
Barker, Carol Bartley et Sara Fortenberry, vos conseils
sont toujours une bénédiction. Mes deux lecteurs favoris

6. N.d.T. : Une série télévisée britannique diffusée sur le réseau ITV au Royaume-Uni et sur les
ondes de Radio-Canada en version française.

à la maison — mon cher mari, Bill, et notre talentueux fils, Matt — ont gracieusement appliqué leur stylo rouge au premier jet. Mon libraire et antiquaire à la retraite préféré d'Écosse, Benny Gillies, a relu la seconde version.

Naturellement, ce sont les lectrices et les lecteurs comme *vous* qui sont la raison d'être de ce que je fais. J'attends votre visite sur le site Web que j'ai créé spécialement à votre intention : www.MyScottishHeart.com. Si vous désirez une vignette autographiée de l'un de mes romans, laissez un mot sur mon site Web ou écrivez-moi (en anglais seulement) à :

Liz Curtis Higgs
P. O. Box 43577
Louisville, KY 40253-0577

Vous trouverez mes photographies de Stirling sur Pinterest — www.Pinterest/LizCurtisHiggs — et sur Facebook — www.Facebook.com/MyScottishHeart.

En cette fête de Noël, et à tout autre moment de l'année, que votre cœur déborde de la joie de connaître, d'aimer et de servir Celui dont nous célébrons la naissance. Jusqu'à notre prochaine rencontre — que ce soit en personne, en ligne ou dans les pages d'un livre —, vous êtes ma joie !

SABLÉS ÉCOSSAIS

Ingrédients :

125 ml (½ tasse) de sucre en poudre
125 ml (½ tasse) de fécule de maïs
250 ml (1 tasse) de farine tout usage
190 ml (¾ tasse) de beurre, ramolli
1 cuillère à soupe de sucre

Préparation :

Tamisez le sucre en poudre, la fécule de maïs et la farine ensemble dans un bol. Ajoutez le beurre ramolli et pétrissez la mixture à la main pour en faire une pâte. Enveloppez la pâte dans une pellicule plastique et mettez-la au réfrigérateur, pas plus de 30 minutes.

Pressez la pâte au fond d'un moule à gâteau graissé de 20 cm x 20 cm (8 po X 8 po), rond ou carré ; le verre est préférable. Faites cuire à 160 °C (325 °F) pendant 30 minutes, ou jusqu'à ce que les bords soient *très* légèrement dorés.

Saupoudrez le dessus de sucre. Laissez refroidir complètement. Donne 8 portions.

À Noël, la main ouverte
Répand l'abondance sur la mer et sur la terre.
Et personne n'est laissé pour compte,
Car l'Amour est le paradis et recueille les siens.

— MARGARET ELIZABETH SANGSTER

Guide de lecture

J'aime tout ce qui est vieux —
les vieux amis, les temps passés, les anciennes
manières, les livres d'époque.

— OLIVER GOLDSMITH

1. Avec sa vocation d'enseignante et sa maison de ville à
    Édimbourg, notre héroïne victorienne a certainement
    acquis son indépendance, pourtant elle se sent aussi
    des obligations vis-à-vis de sa famille à Stirling.
    Comment ces deux univers différents influencent-ils
    les choix de Margaret Campbell ? Un siècle plus tard,
    les femmes essaient encore de concilier le travail et la
    vie familiale. Quels outils et méthodes avez-vous
    trouvés pour résoudre l'éternel dilemme des priorités
    multiples ?

2. Gordon Shaw fait plusieurs choses louables, pourtant
    c'est encore un antihéros à certains égards. Quelles
    sont ses forces et quand les voyez-vous en action ?
    Quelles sont ses faiblesses et quand entravent-elles
    ses efforts ? À quel point l'épigraphe qui commence
    le chapitre 12 — « Je ne suis plus ce que j'étais autre-
    fois » — convient-il à Gordon ? Idéalement, les

protagonistes d'une histoire vivent une certaine croissance émotionnelle et personnelle de la première à la dernière page. Quelle évolution voyez-vous chez Gordon? Chez Meg? Quelle suite imaginez-vous pour eux?

3.   Bien qu'Alan Campbell ait fait son entrée comme personnage secondaire, toutes les pensées à la fin du dernier chapitre sont tournées vers lui, ce qui plairait sûrement à ce jeune homme troublé. Quelles émotions Alan vous inspire-t-il et pourquoi? Est-ce de la pitié? De la colère? De la frustration? Si vous étiez la mère d'Alan, comment auriez-vous agi envers lui dans les mois qui ont suivi sa blessure? Après son passage à l'âge adulte? À la suite de l'événement à l'étang de curling le lendemain de Noël? Quelles démarches Alan devrait-il entreprendre afin de se préparer un avenir plus brillant? Quels pas pourriez-vous faire dans votre propre vie?

4.   Après avoir lu une version préliminaire du roman, l'auteure Francine Rivers m'a fait remarquer, avec à-propos, que certains personnages mentent parce qu'ils pensent qu'un mensonge est préférable à la vérité. Elle écrit : «Gordon ment parce qu'il craint d'être rejeté s'il avoue la vérité. Meg ment pour se protéger et pour épargner à sa famille des douleurs additionnelles». Quels autres personnages mentent — à quelqu'un d'autre ou à eux-mêmes — et comment se justifient-ils? Meg se remémore le commandement «Tu ne feras pas de faux témoignages» (Exode 20:16)

et prend conscience de sa faute. Pourquoi les mensonges sont-ils dommageables? Comment restez-vous honnête avec vous-même, avec les autres et envers Dieu?

5. Comme Oliver Goldsmith, l'auteur de notre épigraphe ci-dessus, peut-être aimez-vous « tout ce qui est vieux » et trouvez-vous les antiquités, les musées et les vieilles maisons à votre goût. De quelle époque préférez-vous les livres et les films? En passant, l'année où se déroule notre histoire — 1894 —, Thomas Edison a présenté les premières images de son kinétoscope, l'ancêtre du cinéma. Quels aspects de la fin de l'époque victorienne auriez-vous trouvés agréables? Lesquels vous auraient rebuté? Pour vous, quel est l'intérêt d'en apprendre plus au sujet des temps passés et des anciennes manières?

6. Les adeptes de l'ère victorienne et la fête de Noël forment une heureuse paire. Le mari de la Reine Victoria, le prince Albert, a apporté les traditions de sa famille germanique en Angleterre, incluant un arbre de Noël décoré et exposé au château de Windsor en 1841. Le classique de Charles Dickens, *Un chant de Noël*, fut publié deux ans après, et les premières cartes de Noël furent imprimées en 1846. Quelles traditions de cette fête sont les plus importantes à vos yeux? Est-ce que votre arbre de Noël est naturel ou artificiel? Est-ce que toutes vos décorations sont assorties, ou ont-elles été acquises au fil des ans? Quel est le moment le plus

joyeux des fêtes pour vous? Et quel est le moment le plus solennel et le plus sacré?

7. Le foyer peut être un refuge ou un terrain d'essai, ce que la maison des Campbell sur la place Albert était sûrement pour Meg. Comment définiriez-vous le «foyer»? Et comment votre conception changeante du foyer, avec le passage des années, vous a-t-elle défini, *vous*? Quelles sont vos attentes quand vous «rentrez à la maison pour les vacances»? Quand des conflits familiaux éclatent pendant les fêtes de Noël, comment votre foi en un Dieu d'amour vous aide-t-elle à inspirer la «paix sur la terre aux âmes de bonne volonté» autour de vous?